Matisse
et son temps

TIME-LIFE LE MONDE DES ARTS

Matisse
et son temps

1869-1954

par John Russell
et
les Rédacteurs des Éditions TIME-LIFE

TIME-LIFE International (Nederland) B.V.

L'auteur :

John Russell est critique d'art pour le *New York Times* après avoir,
pendant de nombreuses années, occupé les mêmes fonctions au *Sunday Times*
de Londres. Collaborateur de *Art News* et de diverses revues américaines,
il est également l'auteur de livres consacrés à Seurat, Braque, Max Ernst,
Henry Moore et Ben Nicholson. Son goût des voyages s'est exprimé
dans des ouvrages sur la Grande-Bretagne, sur Paris et sur la Suisse.
Membre du jury de plusieurs expositions d'art internationales, John Russell
a organisé à la Tate Gallery de Londres des rétrospectives des œuvres de Modigliani,
Rouault et Balthus. Originaire de Londres, Mr. Russell avait déjà passé
de nombreuses années aux États-Unis avant d'accepter, en 1974, le poste
qu'il occupe aujourd'hui à New York. Les recherches nécessités par ce livre
l'ont conduit à faire de lointains voyages au cours desquels il a consulté
les membres de la famille Matisse et a pu étudier de plus près les grandes
collections d'œuvres de Matisse existant en U.R.S.S., en France et aux États-Unis.

Le conseiller de rédaction :

H.W. Janson est professeur des Beaux-Arts à l'université de New York.
En 1976, il donna de remarquables conférences à la National Gallery,
Washington, D.C. Parmi ses nombreux ouvrages, il faut citer une
Histoire de l'art et *la Sculpture de Donatello.*

Couverture :

Ce détail du portrait de la princesse Elena Galitzine en odalisque illustre
le goût de Matisse pour la somptuosité du coloris et la richesse ornementale.
(Voir reproduction complète de la toile pages 114-115.)

Pages de garde :

Ces deux dessins à la plume de Matisse reprennent plusieurs thèmes familiers
de l'heureuse période de Nice, qui se situe entre les deux guerres;
la chaude lumière du Midi inonde la pièce, le charmant modèle s'alanguit
sur un sofa, et l'artiste est présent dans la composition, soit sous la forme
d'une silhouette derrière ses lunettes, reflétée dans un miroir *(pages de tête)*,
soit sous celle d'une main guidant la plume sur le papier *(pages finales).*

Traduit de l'anglais par Dominique Le Bourg.

Authorized French edition © 1972 TIME-LIFE International (Nederland) B.V.
Original U.S. English language edition © 1969 TIME-LIFE Books Inc.
All rights reserved. Fourth French printing, 1977.

Table des matières

H. matisse 10/39

I

« Né pour simplifier la peinture »

Quelques lignes tracées d'une main infaillible ont suffi à Matisse pour dessiner cet autoportrait, à Nice, alors qu'il était âgé de soixante-dix ans. S'efforçant toujours d'atteindre la pureté et la simplicité dans le dessin, Matisse décrivait de multiples lignes dans le vide avant d'abaisser sa main sur le papier. Assuré que l'image formée dans son esprit pouvait se transmettre à sa plume ou à son pinceau, il achevait alors rapidement son travail.

Autoportrait, 1939

Le soir du 31 décembre 1869, à huit heures, Henri Matisse naissait dans la maison de ses grands-parents, au Cateau, petite ville de l'austère région du Nord, située sur la route d'Arras à Sedan. Sedan 1870, Arras 1914, sont des noms tristement célèbres dans les annales de la guerre. Bien que Le Cateau ne manque pas d'allure avec son palais des archevêques et ses jardins aux nobles proportions, du XVIIIe siècle, ce ne sont alentour que terres à betteraves — une campagne plate, grise et pluvieuse. Depuis l'occupation romaine, les armées n'ont cessé de se disputer ce pays. Le Cateau s'est vu rasé par l'incendie, pillé, criblé d'obus et de bombes, pris et repris d'assaut. L'exploitation houillère et la révolution industrielle y ont exercé leurs pires ravages. Il faut une grande force d'âme pour vivre dans cette région de la France et ne pas se laisser abattre.

Mais la force d'âme, justement, n'a jamais fait défaut aux gens du Nord. Ils défendent leur province et rappellent complaisamment que les légionnaires romains trouvèrent des adversaires à leur mesure en la personne des Nerviens, réputés les meilleurs fantassins de la Gaule, et que cette tribu avait son quartier général dans la bourgade devenue plus tard Le Cateau. La domination espagnole, à la fin du XVIe siècle, a marqué la race d'une sorte de ténacité farouche qui, alliée à l'ardeur et au mordant des Nerviens, a façonné un peuple au caractère intrépide et résolu.

Telle est du moins la légende et, en vérité, il apparaît aussi différent que possible du conventionnel Français d'opérette cet homme du plat pays, solide, droit, obstiné, travailleur et patient. En affaires, il ne cédera pas un centime, mais on peut lui faire confiance. Le père de Matisse fut bien inspiré le jour où il décida de quitter Paris et sa profession de marchand de draps pour s'installer dans cette région. Son choix se fixa sur la petite ville de Bohain-en-Vermandois, où les Gérard — la famille de sa femme — exerçaient depuis des siècles les métiers de tanneurs et de gantiers. Son nouveau commerce de droguiste et de marchand de grains prospéra; Émile Matisse ne fit pas fortune mais, lorsque le jeune Henri eut terminé ses études secondaires, son père avait les moyens d'envisager pour lui une carrière libérale.

On ne sait pas grand-chose de l'enfance ni de l'adolescence d'Henri

Matisse. Jusqu'à l'âge de dix ans, il fréquente l'école de Bohain, ensuite, le lycée de Saint-Quentin, où il fait l'apprentissage du grec et du latin. Quelle fut sa réaction, s'il en eut, aux projets paternels concernant son avenir dans une profession libérale, on l'ignore. Il ne sait pas exactement ce qu'il veut. Nulle aptitude particulière, nulle attirance marquée ne caractérisent la progression régulière de ses études. Il se contente de faire ce qu'on lui dit : une sorte d'ennui chronique et de vague malaise sont les seuls symptômes indiquant qu'il n'a pas trouvé sa véritable voie. A seize ans, Matisse est un jeune garçon trapu, au menton volontaire, qui avance dans la vie d'un pas mesuré, mais sans but bien défini. Personne ne pouvait alors prévoir ce que discernera plus tard avec clairvoyance Gustave Moreau, l'un de ses professeurs des Beaux-Arts, à savoir qu'il était « né pour simplifier la peinture », et qu'un jour viendrait où il changerait totalement le cours de l'art occidental.

C'est pourtant ce que Matisse va faire, grâce à sa compréhension profonde du génie français, et à la manière dont il en tire parti. Ce génie lui apparaîtra dans son classicisme, un classicisme fait de clarté, de persévérance, de connaissance de soi, de souplesse d'adaptation et d'instinct de perfection. D'autres avant lui avaient appréhendé ce génie avec une intuition non moins lucide, mais toujours dans la perspective du passé : familiers des œuvres de leurs grands devanciers, ils s'efforçaient de les égaler. Matisse, lui, sait qu'il est vain de vouloir refaire ce qui a déjà été suprêmement bien fait. Par deux fois, au cours de sa vie, il renouvellera l'art pictural : la première fois, au Salon d'Automne de 1905, lorsqu'il démontrera ce qu'un tempérament d'artiste à la fois puissant et maîtrisé peut obtenir du maniement de la couleur ; la seconde fois, un demi-siècle plus tard, sur son lit de mort, lorsqu'il exécutera ces immenses compositions en papiers découpés qui comptent parmi les plus belles créations de l'art moderne. Dans les deux cas, il ne s'agira nullement de l'aboutissement d'une quelconque évolution, mais bien d'une innovation, que d'autres, après lui, vont reprendre et développer.

Mais rien de tout cela ne se décèle dans la jeunesse de Matisse. Il ne semble même pas s'être intéressé à l'art. A cette époque, il est indifférent au fait que le musée de Saint-Quentin possède quelques admirables pastels du grand artiste du XVIIIe siècle, Maurice Quentin de La Tour. A-t-il seulement rendu visite au musée de Lille, proche de sa ville natale, qui conserve deux très beaux Goya, *les Jeunes* et *les Vieilles*, ainsi que de belles toiles des maîtres hollandais et flamands ? Les édifices publics du Cateau sont empreints d'une noblesse régulière et mesurée qui aurait pu l'inciter à rechercher d'une façon générale cette sorte d'équilibre. Par ailleurs, le jardin du palais des archevêques, chef-d'œuvre de l'horticulture à la française, où la nature domptée se soumet à une ordonnance rigoureuse, pourrait servir à illustrer l'importance d'une conception lucide et claire dans les affaires humaines — ce que souligne le nom de Jardin de l'Intelligence qui lui est parfois donné. Mais Matisse peut aussi fort bien l'avoir interprété comme le triomphe de la patience, de la prévision et de l'organisation sur des forces naturellement indisciplinées. Tout ceci, cependant, n'est que conjectures fondées sur le développement ultérieur de l'artiste, logiques, certes, mais non prouvées.

A l'automne de 1887, Émile Matisse envoie son fils étudier le droit à Paris. Henri obtempère volontiers, étudie le code, suit ses cours et, au bout d'un an, passe brillamment ses examens. Regrette-t-il la maison paternelle? Est-il émerveillé par Paris? Il n'en laisse rien voir. Tout ce qu'il dit, c'est qu'il occupe ses loisirs à des « distractions médiocres. » Pourtant, n'est-ce pas le rêve de tout jeune homme de dix-neuf ans d'être étudiant à Paris? Et, pour un jeune artiste — même en puissance —, Paris est la ville par excellence, et l'année 1888 est une année importante dans un très grand siècle. Georges Seurat, qui peint selon une méthode scientifique de juxtaposition de points colorés, vient juste d'achever *la Parade (page 44)*, cette vision pathétique des plaisirs nocturnes de la grande ville. Vincent Van Gogh est à Arles, et la révélation de la lumière et des couleurs de la Provence vont lui inspirer ces toiles inondées de soleil, qui semblent avoir adopté la quintessence du Midi méditerranéen. Paul Gauguin revient d'un voyage à la Martinique et remet en question la notion même d'un art limité à la tradition européenne. Et, à Aix-en-Provence, Paul Cézanne et Auguste Renoir, travaillant côte à côte, s'efforcent de trouver une issue à l'impasse où s'est engagé l'impressionnisme en se bornant à ne considérer que l'aspect fugitif de la réalité à un moment déterminé.

C'est donc la période où, dans quelques ateliers, se forge l'art du XXe siècle. Le grand public ne s'en doute guère. D'une part, il ne prise guère ces formes d'art et, d'autre part, il n'existe pas alors de journalistes ou de caméras de télévision qui viennent troubler l'intimité de l'artiste au travail. Pour la plupart des gens, la peinture évoque de grandes compositions historiques, des scènes d'un exotisme de pacotille ou des allégories moralisatrices, fabriquées par des « maîtres » dont les noms sont maintenant tombés dans l'oubli. Matisse, à l'époque, ne s'intéresse ni à la bonne ni à la mauvaise peinture, et ne voit aucune raison de s'attarder à Paris. Après avoir terminé ses études de droit, il retourne dans le Nord et se fait engager comme clerc dans une étude d'avoué de Saint-Quentin.

Ses fonctions sont de pure routine et sans aucune responsabilité. Le travail d'un clerc d'avoué, à cette époque, est celui qu'accomplit de nos jours un photocopieur et n'a souvent guère plus d'utilité. Il se contente de copier des pages et des pages de « conclusions grossoyées » qui vont gonfler des dossiers que personne ne lira jamais — l'essentiel étant « d'employer du papier timbré en quantité proportionnée à l'importance du procès. » Matisse se met alors à noircir du papier vergé en y copiant des fables de La Fontaine. Les clients sont favorablement impressionnés par l'épaisseur de leurs dossiers, et l'employeur de Matisse, Me Duconseil, ne se plaint pas. A vingt ans, le jeune clerc commence modestement une carrière sans éclat, mais qui lui assurera la sécurité.

Il aurait pu continuer de la sorte pendant cinquante ans si, en 1890, un incident ne s'était produit. Il vient d'être opéré de l'appendicite et, pour le distraire pendant sa longue convalescence, sa mère lui apporte une boîte de peinture et un petit traité à l'usage des amateurs. L'effet de ce cadeau est prodigieux. La monotonie du quotidien s'évanouit et Matisse, pour la première fois de sa vie, se sent, selon sa propre expression, « tout à fait libre, seul, tranquille. » Nul n'est moins mystique que lui et, cependant, seul un mystique aurait trouvé les accents de ferveur et d'exaltation avec lesquels il parle de cette transformation de sa vie : « C'est comme si j'avais été appelé », écrira-t-il soixante ans plus tard, menant dès lors une vie « pendant laquelle j'ai été conduit mais que je n'ai pas conduite. » Ce sont là des mots

Henri Matisse avait vingt ans lorsqu'il posa pour cette photographie avec sa mère en 1889. Quelques années plus tard, Anna Gérard Matisse devait, d'une façon charmante et fortuite, révéler à son fils à quel point l'inconscient peut influencer l'œuvre d'un artiste. « Dans un bureau de poste de Picardie, raconte Matisse, j'attendais une communication téléphonique. Pour passer le temps, je pris une formule télégraphique qui traînait sur la table et traçais à la plume une tête de femme. Je dessinais sans y penser, ma plume allant à sa volonté, et je fus surpris de reconnaître le visage de ma mère avec toutes ses finesses. »

profonds, de la part d'un homme dont le langage est habituellement réfléchi et modéré, et qui conçoit en général l'existence de façon rationnelle et systématique.

Sur le moment, cette révélation a pour effet de lui faire exécuter une série de copies de chromos proposés comme modèles aux peintres débutants. A plus long terme, il en résultera sa décision d'étudier la peinture, entreprise longue et difficile à une époque où la nature comme la fonction de l'art subissent une totale remise en question. L'art officiel continue à sévir et exerce toujours une influence considérable, au point qu'en dehors de lui, il n'y a pratiquement pas de salut pour un artiste. Mais il est non moins évident que ses jours sont comptés. De nouvelles formes d'art déjà se manifestent, qui n'ont rien de commun avec les messieurs en redingote et les plantes vertes du Salon traditionnel. D'ailleurs, un nouveau Salon, celui de la Société Nationale des Beaux-Arts, vient de se fonder, l'année même de la « conversion » de Matisse, pour accueillir les œuvres des jeunes artistes de la nouvelle école.

Juste un an après avoir, pour la première fois de sa vie, manié un pinceau, Matisse — photographié ici entre deux de ses condisciples — fut admis dans la célèbre Académie Julian. Mais ses professeurs, sous la direction du maître médaillé Adolphe-William Bouguereau, se cantonnaient dans l'enseignement traditionnel. Déçu, Matisse quitta l'académie au bout de quelques semaines.

L'histoire n'est pas toujours un très bon guide pour nous apprendre la manière dont une société a réagi aux événements de son temps. Rien aujourd'hui ne nous semble mieux illustrer la belle santé et la joie de vivre de cette époque que les chefs-d'œuvre des impressionnistes : *Un bar aux Folies-Bergère* de Manet, le *Déjeuner des canotiers* de Renoir ou *la Terrasse de Sainte-Adresse* de Monet. A la seule vue de ces toiles, nous nous mettons à rêver aux charmes de l'existence en ce temps-là. Pourtant, lorsqu'elles furent exposées pour la première fois, le grand public les jugea comme des barbouillages indécents, criards, ineptes et quasi incompréhensibles, tandis que des critiques plus qualifiés n'y voyaient, au mieux, que le désaveu de toutes les valeurs essentielles. Pour les académiciens, l'art consistait en un ensemble de secrets de métiers, et la nature devait être interprétée suivant des lois immuables. Les impressionnistes, au contraire, n'accordaient de prix qu'à l'aspect immédiat, et jusqu'alors négligé, de la réalité du moment. Comme leur nom le laisse entendre, le monde extérieur n'existait pour eux que sous forme d'impressions instantanées qu'il s'agissait de fixer aussi fidèlement que possible.

C'était là, en théorie, l'antidote idéal de l'académisme. En pratique, l'impressionnisme laissait à désirer. L'artiste renonçait au droit d'exprimer une opinion personnelle. Il lui fallait observer une passivité totale à l'égard de la nature, de façon à n'être « plus qu'un œil », comme Cézanne le dira de Monet. D'autres peintres, à des degrés divers, ressentent une insatisfaction et, à la fin des années 1880, se trouvent même en révolte ouverte contre l'impressionnisme pur. Ils cherchent une formule qui leur restituerait leur liberté d'expression. Lorsque Cézanne parle de transformer l'impressionnisme en « quelque chose de solide et de durable, comme l'art des musées », il pense à un art d'une substance plus intellectuelle et souhaite que le peintre s'impose à la nature au lieu de l'absorber passivement et de la subir.

Les pionniers de ce nouveau mouvement sont Georges Seurat, Paul Gauguin et, bien sûr, Cézanne. Ce dernier se préoccupe particulièrement du problème de l'espace. A la différence des impressionnistes, pour qui l'espace est quelque chose de vaporeux et d'impalpable, Cézanne le conçoit à la façon d'une matière que l'on peut tailler, comme du marbre. Ceci explique en partie sa prédilection pour les carrières de pierre de sa Provence natale : méthode et sujet ne font qu'un. Mais, sujet mis à part, toutes ses œuvres laissent transparaître une volonté de fermeté, de rigueur et de réflexion. Seurat, lui aussi, réintroduit la réflexion dans la peinture. Il va même beaucoup plus loin que Cézanne, car il est tout acquis aux théories de l'analyse scientifique de la couleur comme de celle de l'espace, et il recourt à des formules mathématiques pour s'assurer que l'effet pictural obtenu est bien celui qu'il s'est proposé.

Quant à Gauguin, son refus de l'impressionnisme pur l'oriente dans une tout autre direction. Certains de ses biographes se plaisent à souligner l'aspect romanesque et exotique de sa vie, l'abandon qu'il fit de sa confortable situation de boursier, de son foyer, d'une épouse irréprochable et de cinq enfants charmants, pour s'en aller mener une existence de vague débauche dans les mers du Sud. En réalité, Gauguin est un homme d'un sérieux profond, dont la vocation est d'enrichir l'art de son temps de valeurs nouvelles. Il a pris la seule décision qui lui semblait logique, celle de rompre totalement avec une société satisfaite d'une esthétique naturaliste dégénérée.

A ses yeux, l'homme se dégrade lorsqu'il adore la nature; il doit au contraire se servir d'elle. Dans cet esprit, il se détourne des maîtres d'autrefois et va quêter force et inspiration auprès de sources bien différentes : les idoles péruviennes, la sculpture romane, les estampes japonaises, l'art ancien de l'Égypte et de l'Assyrie. Son œuvre n'est peut-être que relativement bonne, dira-t-il à la fin de sa vie, mais du moins a-t-il la conviction d'avoir fait son devoir. Il pensait que si ses œuvres ne restaient pas, il resterait toujours le souvenir d'un artiste qui a libéré la peinture de beaucoup de ses travers académiques d'autrefois, et de travers symbolistes, autre genre de sentimentalisme. Il avait raison. L'art du XXᵉ siècle, avec son mépris du naturalisme, son recours aux instincts primordiaux et sa foi en la puissance émotionnelle de la couleur, est profondément redevable à cet homme qui a voulu établir le *droit* de tout oser.

Telle est la situation en 1890, lorsque Matisse se détermine à devenir peintre. Mais, puisqu'on est en train de faire le procès de l'art, le juriste qu'est Matisse estime qu'il convient d'étudier le dossier des deux parties. Il n'ignore pas que, dans le passé, la formation académique a donné naissance à de grandes œuvres, et décide de la mettre à l'épreuve. Il commence donc sa nouvelle carrière en s'inscrivant dans une classe de dessin à Saint-Quentin, où l'on apprend leur métier à des jeunes gens exerçant déjà un travail régulier et qui veulent devenir dessinateurs de broderie et de tissus. Les horaires des cours, de six heures trente à sept heures trente du matin, sont assez pénibles, surtout en hiver, mais Matisse, avec sa volonté de fer, les suit scrupuleusement et se met à dessiner en tout lieu et en tout temps. Le bienveillant Mᵉ Duconseil est obligé de faire observer à son jeune clerc qu'il lui serait reconnaissant de dessiner un peu moins pendant les heures ouvrables et d'accorder un peu plus d'attention à l'expédition des actes. Matisse commence également à peindre, avec un métier encore maladroit, mais consciencieux.

Ces études artistiques à temps partiel ne le satisfont pas longtemps. Elles lui répugnent comme une trahison à l'égard de sa nouvelle vocation et lui apparaissent dérisoires par rapport au chemin qu'il doit parcourir et aux problèmes qu'il lui faut résoudre. Au début de 1892, il annonce à son père sa résolution de se consacrer entièrement à la peinture. Ce fils, jusqu'alors passif et docile, se révèle soudain

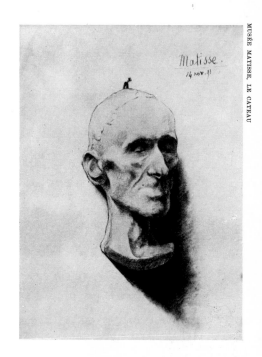

Ces deux dessins, exécutés par Matisse en 1891 à l'Académie Julian, témoignent de l'esprit qui régissait alors l'enseignement des Beaux-Arts, uniquement préoccupé de virtuosité dans la copie servile de moulages *(en haut)* ou de modèles vivants. C'est, entre autres choses, l'obligation de passer vingt cours à dessiner des plâtres qui incita Matisse à quitter cette école et à se rebeller contre l'injonction : « Copiez bêtement la nature. »

11

En 1892, Matisse commence à travailler avec Gustave Moreau, ce « maître charmant ». Pour la lithographie ci-dessus, Georges Rouault, condisciple de Matisse, s'est sans doute inspiré de la photographie très désinvolte de Moreau *(en haut).* La primauté accordée par Moreau à la vision personnelle sur l'habileté technique influencera profondément le jeune Matisse.

un homme d'une inflexible détermination : « C'est avec le sentiment constant de ma décision, dira-t-il beaucoup plus tard, malgré ma certitude de me trouver dans ma vraie voie, où je me sentais dans mon climat et non devant un horizon bouché comme dans ma vie précédente, que j'ai pris peur, comprenant que je ne pouvais reculer. J'ai donc foncé, tête baissée dans le travail, avec le principe que j'avais entendu toute ma vie énoncer par ces mots : « Dépêche-toi! » Comme mes parents, je me suis dépêché au travail, poussé par je ne sais quoi, par une force que je perçois aujourd'hui comme étant étrangère à ma vie d'homme normal. »

La première réaction de son père est de lui prédire qu'il va mourir de faim et, à un certain moment de la carrière de Matisse, les événements seront bien près de lui donner raison. Émile Matisse, cependant, finit par céder et servira même une modeste pension à son fils. En octobre 1892, Matisse se trouve de nouveau à Paris, cette fois pour y étudier la peinture. Son père éprouve quelque réconfort à la nouvelle qu'il suit les cours de Bouguereau, qui est alors le plus célèbre peintre français, mais, très vite, le jeune Matisse juge son nouveau maître, dont les œuvres nous rebutent aujourd'hui par leur sensualité vulgaire, leurs amoncellements de rondeurs féminines, leur composition fade et conventionnelle. Elles n'impressionnent nullement Matisse, pas plus que les manières arrogantes du « maître », qui se copie inlassablement lui-même devant une assistance pâmée. Matisse refuse de devenir un pasticheur; il veut explorer l'art dans ses profondeurs. Peu après, il comprend que l'école qui lui convient est celle des Beaux-Arts de Paris.

L'École des Beaux-Arts des années 1890, nous la regardons aujourd'hui comme une citadelle de la convention, occupée par des béotiens et des tâcherons, patrouillée à de rares intervalles par des pontifes médaillés et répudiés par la postérité. Elle offre néanmoins à l'étudiant des avantages dont il peut tirer le meilleur parti : disposition des ateliers, une très riche bibliothèque, une collection célèbre de copies et de moulages, l'occasion de concourir pour des prix intéressants et plus important encore la compagnie de quelques jeunes artistes de talent. Lorsqu'il se présente au concours d'entrée, Matisse n'est pas jugé digne d'être admis. Il se contente donc de travailler le croquis, avec d'autres postulants, dans le grand hall vitré de l'École qui abrite des copies de tous les grands chefs-d'œuvre : peintures de l'école italienne, moulages de sculptures de la Renaissance et de l'Antiquité greco-romaine. La plupart des « maîtres » qui traversent ces lieux pour rejoindre leur classe jettent un coup d'œil hautain et sarcastique sur les travaux des jeunes aspirants. L'un d'eux fait cependant exception. C'est Gustave Moreau qui, à l'âge de soixante-six ans, vient d'être nommé professeur. Au premier coup d'œil jeté sur les dessins de Matisse, Moreau invite le jeune homme à se joindre à sa classe, promettant d'arranger les choses lui-même avec l'administration.

Aujourd'hui, familiarisés comme nous le sommes depuis plus d'un demi-siècle avec les théories psychanalytiques, nous reconnaissons en Moreau le type même de l'homosexuel sublimé. Ce célibataire timide et délicat, très attaché à sa mère, favorisé par une fortune personnelle, mène une existence retirée dans son petit hôtel particulier de la rue de La Rochefoucauld, devenu depuis le musée Gustave Moreau. Isolé du monde extérieur, Moreau ne vit presque uniquement qu'en compagnie des créatures nées de sa luxuriante imagination. Travaillant sans relâche jusqu'à sa mort en 1898, il léguera à l'État français 609 peintures à l'huile, 282 aquarelles et plus de 7 000 dessins.

Indifférent à son époque, Moreau crée un monde imaginaire, peuplant ses toiles de personnages antiques — Hercule, Salomé, Oreste, Jupiter —, êtres élégants, presque asexués et à l'équivoque demi-nudité. Les poètes et les romanciers « décadents », tel J.-K. Huysmans, s'enchantent de la somptuosité de ses visions. D'autres, cependant, décèlent quelque chose d'un peu factice dans ce rejet du réel et de son vieil ami Moreau, Edgar Degas dira qu'il est « un ermite qui connaît tous les horaires de chemin de fer. »

En 1892, Moreau s'adonne au professorat. L'affectueuse sollicitude qu'il prodigue à ses élèves est peut-être pour lui une manière de transcender des tendances réprimées. En tout cas, ses cours deviendront bientôt notoires aux Beaux-Arts pour l'enthousiasme qu'ils soulèveront et par les talents qu'ils révéleront. Convaincu que la tâche du maître est de donner à l'étudiant la possibilité d'être soi-même, Moreau sera le premier des grands professeurs modernes. En l'espace de six brèves années, son enseignement aura formé deux peintres éminents — Rouault et Matisse — et quatre autres appelés à jouer un rôle important dans la révolution chromatique fauviste de 1905 : Albert Marquet, Henri Manguin, Charles Camoin et l'artiste belge Henri Evenepoel. Au nombre de ses élèves, il compte également Simon Bussy, auteur de portraits d'André Gide et de Paul Valéry qui sont les plus ressemblants qu'on ait jamais faits de ces deux grands hommes de lettres. A une époque où tous les autres professeurs honnissent ses idées, Gustave Moreau apparaît comme la seule influence civilisatrice de l'École des Beaux-Arts.

Matisse n'oubliera jamais son apprentissage auprès de Moreau. Bien des années plus tard, il aura les larmes aux yeux en prononçant son nom et pourra dessiner de mémoire un plan exact de la salle de cours, se souvenir de la place de chacun, du mobilier, de l'orientation des fenêtres et ainsi de suite. Il va s'attacher à trois de ses condisciples. Le premier, Simon Bussy, n'est pas un artiste de premier plan, mais il sera un ami fidèle et l'une des rares personnes avec lesquelles Matisse entretiendra toute sa vie une correspondance. C'est un homme de petite taille (il s'habille à Londres, dans un magasin spécialisé en vêtements de collégiens), au franc parler et à la tête à la fois bien pleine et bien faite. Georges Rouault, infiniment plus doué que Bussy, compte aussi beaucoup pour Matisse; leur amitié ne prendra jamais un caractère d'intimité, mais ils se respecteront mutuellement. Rouault est un être profondément religieux, hanté par le sentiment de la misère et de l'iniquité du monde; dès sa jeunesse, il y a en lui une fixité d'orientation et une grandeur spirituelle et imaginative qui le mettent à part de ses camarades. Pour lui, la peinture n'est pas un passe-temps, mais un moyen d'appréhender la vie et d'en donner à ses contemporains des interprétations capables de leur ouvrir les yeux.

Le troisième élève de Moreau avec qui se lie Matisse est Albert Marquet. Admis dès l'âge de quinze ans à l'École des Arts décoratifs, il est de six ans le cadet de Matisse, mais compte déjà huit années d'apprentissage. Affligé de jambes légèrement difformes et d'épaisses lunettes cerclées, il s'est toujours senti un peu différent des autres et en a beaucoup souffert étant écolier. Il ne suscite, lui semble-t-il, au mieux que de l'indifférence, au pire qu'une antipathie déclarée. Par réaction, il s'est replié sur lui-même. Jeune garçon, il a erré pendant des semaines sur les quais de Bordeaux, dessinant tout ce qui accrochait son regard et, toute sa vie, il restera un merveilleux témoin de la « chose vue », de la scène prise sur le vif.

Matisse est déjà, comme il le sera toujours, un bourreau de travail. Il n'a rien du bohème insouciant. Depuis leur rencontre, toutefois, Marquet et lui prennent l'habitude de sortir le soir dans les rues de Paris et de couvrir des pages et des pages de minuscules croquis. Pour Matisse, qui jusque-là associait le dessin au travail concentré de l'atelier, ces soirées d'étude dans les cafés, les bars et les music-halls sont extrêmement utiles. Assez désargentés, les deux amis s'arrangent pour faire durer au maximum la tasse de café qu'ils prennent à une terrasse, d'où ils observent la vie nocturne de la capitale, si animée à cette époque, qui tourbillonne autour d'eux tandis qu'ils noircissent fiévreusement leurs carnets.

Lorsque Matisse quitte sa chambre d'étudiant de la rue des Écoles, c'est pour se rendre soit aux Beaux-Arts, soit au Louvre, ou bien pour aller travailler dans les rues avec Marquet. Il ne connaît pas de véritables loisirs, et sa vie est centrée sur les deux jours de la semaine, le mercredi et le samedi, où Moreau corrige les travaux de ses élèves. Non que Moreau soit un tyran, loin de là. Il ne fait pas montre d'autorité avec un grand A, n'exige pas que les jeunes gens se lèvent à son entrée et n'offre rien dans sa personne de particulièrement imposant. Quelqu'un parmi ses relations, le rencontrant dans la rue, note qu'il ressemble à « un gentilhomme campagnard venu à Paris pour un concours hippique. » Mais, lorsqu'il apparaît, les jours de correction, avec son calot et sa blouse d'un blanc douteux, ses élèves ont la certitude profonde que Moreau est pour chacun d'entre eux le meilleur des juges et des conseillers.

Il en est qui ne tireront aucun profit de son enseignement. Moins d'un sur dix est réellement doué. Ceux dont l'histoire a gardé les noms forment un groupe serré au fond de la salle, là où les autres ne peuvent les déranger. Le reste de la classe se compose de paresseux, de chahuteurs, de cancres ou d'opportunistes qui espèrent naïvement faire carrière dans « l'art ». Cependant, génies ou médiocres, bûcheurs ou fainéants, tous prêtent l'oreille quand Moreau parle. A l'encontre des autres membres de l'Académie, dont l'enseignement se fonde sur une hiérarchie bien établie (vers le sommet de laquelle se situent leurs propres œuvres), Moreau ne fait jamais allusion à ses travaux. Et il ouvre constamment de nouveaux horizons. Il conduit ses étudiants au Louvre le plus souvent possible et s'efforce de garder leur imagination sans cesse en éveil : « Quel maître charmant c'était là! dira Matisse. Lui du moins était capable d'enthousiasme et même d'emballements. Tel jour, il affirmait son admiration pour Raphaël, tel autre jour pour Véronèse. Il arrivait un matin, proclamant qu'il n'y avait pas de plus grand maître que Chardin... » Le lendemain, il leur signale une affiche de Toulouse-Lautrec aperçue sur le chemin de l'École. Mais il a une prédilection pour les maîtres du Quattrocento, qu'il a étudiés au cours d'un voyage en Italie, en 1857-1858, en compagnie de Degas. Moreau scandalise ses dignes collègues lorsqu'il recommande à ses élèves de « descendre dans la rue », d'observer la vie quotidienne et d'aller voir, dans les galeries, les toiles des nouveaux peintres.

Matisse a donc été formé par Gustave Moreau. Les observations de ce maître pourraient s'inscrire en exergue des grandes toiles de la maturité de Matisse. Pour Moreau, la nature ne fournit à l'artiste qu'une occasion de s'exprimer, et ne répète-t-il pas à ses élèves que « la couleur doit être pensée, rêvée, imaginée ! » A une époque où la plupart des peintres s'évertuent à obtenir un réalisme méticuleux, il déclare que c'est une perte de temps. A quoi bon rivaliser avec les effets de lumière de la nature ? A ce compte-là, ce ne serait plus de l'art, et la nature est préférable. » Mieux vaut imaginer la lumière, imaginer la couleur, avec une intensité telle que le spectateur en oublie la nature et ne voit plus que par les yeux de l'artiste. La leçon qu'il laisse à ses jeunes étudiants exceptionnels, Rouault l'a résumée en ces termes : « Il nous apprit à discipliner notre volonté sans méthode préconçue, à avoir respect de certaine vision intérieure. »

Matisse est l'un de ces étudiants exceptionnels, mais il est venu tard à la peinture. Il n'est pas encore mûr pour rejeter les méthodes préconçues et aspire à se mettre à l'école des vieux maîtres : en les copiant, il apprendra à les comprendre « de l'intérieur ». Copier peut être une corvée, mais ce peut être aussi un processus d'exploration et de découverte. Matisse choisit ses modèles avec soin. Bien qu'il admire beaucoup les toiles de Goya du musée de Lille (il aurait dit en les voyant : « Si c'est cela la peinture, je crois que je peux y arriver »), il sait bien qu'un débutant ne peut prétendre en imiter la désinvolte virtuosité. Les

La classe de Gustave Moreau de 1897 pose pour une photographie parodiquement solennelle (en haut à gauche, l'un des étudiants mouche une statue sous un parapluie) dans la cour de l'École des Beaux-Arts. Au centre, le personnage de profil, tête nue avec barbe et favoris, est Rouault. Ce sont là les derniers élèves de Moreau. Le maître devait mourir l'année suivante.

toiles qui retiennent son attention sont, pour la plupart, des images de la vie quotidienne exécutées par des artistes soucieux de reproduire leur sujet avec la plus exacte fidélité. Les Hollandais et les Flamands sont ses préférés. Ce qu'il recherche alors, c'est, comme il le dira plus tard, « les dégradations de tons dans la gamme argentée chère aux maîtres hollandais, c'est la possibilité d'apprendre à faire chanter des lumières dans une harmonie assourdie, à graduer et à serrer au mieux les valeurs. »

Matisse, à vingt-six ans, est loin de passer pour un jeune prodige ou un rebelle en puissance. C'est un peintre qui, pour le moment, se préoccupe surtout de faire jouer une nuance de gris contre une autre, ainsi qu'en témoigne sa seule peinture importante de cette époque, l'*Atelier de Gustave Moreau*, scène familière et bon sujet pictural. Il s'y pose le problème de la figure, nue et vêtue, celui de la lumière tombant des hautes fenêtres latérales, de l'agencement complexe des chevalets, des tabourets et des toiles, et de la présence de moulages d'après l'antique. Matisse domine très bien ces éléments divers et réussit à établir entre eux des rapports aisés sans tomber dans le conventionnel. Et il manœuvre en coloriste averti entre les tons de chair du modèle, le blanc mat du moulage placé derrière elle, les blancs et les ocres des toiles rangées contre le mur, le gris du sol de l'atelier et les blancs plus vifs des cols des étudiants. Mais du coloriste révolutionnaire qu'il deviendra, il n'y a encore nulle trace.

En 1895, Matisse quitte la rue des Écoles et s'installe au 19 du quai Saint-Michel, dans un immeuble qui a vue sur la Seine, et d'où l'on voit le Louvre en aval, et Notre-Dame en amont. Sa chambre est sous les toits, et il a pour voisin de palier un autre jeune peintre, Émile Wéry. Wéry n'est pas un génie, mais il a le don de se tenir au courant de tout et d'être parmi les premiers à connaître les nouvelles. Matisse et Wéry savent qu'ils peuvent mutuellement s'aider, et leur amitié s'avérera très profitable. Mais, actuellement, Matisse évite les distractions. Il s'est imposé un programme, entièrement tourné vers l'art des siècles passés. Au cours de l'été 1895, il fait un séjour en Bretagne, à Pont-Aven, village fréquenté naguère par Gauguin et ses amis, et il descend à la même pension qui porte toujours le nom de Gloanec. Mais, peu impressionné par ces circonstances, Matisse poursuit sa voie comme si Gauguin n'avait jamais existé et travaille aux toiles qu'il a l'intention d'exposer au Salon de la Société Nationale des Beaux-Arts, le printemps suivant.

Cinq de ces peintures seront admises au Salon, la première exposition publique de Matisse; elles représentent un fidèle répertoire des admirations du jeune peintre. Outre l'*Atelier de Gustave Moreau*, il y a là deux natures mortes, un paysage de Bretagne et un portrait. Chacune de ces œuvres est signée, pourrait-on dire, par procuration. Les maîtres hollandais transparaissent dans le jeu savant de reflets des pichets et des verres; Chardin, dans la suavité pulpeuse des fruits et des fleurs, et Corot, dans la lumière magnifiée et dorée du paysage breton. Enfin, *la Liseuse*, par sa conception, est essentiellement un hommage à *la Dentellière* de Vermeer, que Matisse a vue bien des fois au Louvre.

Deux toiles, *la Liseuse* et la *Nature morte au couteau noir*, sont vendues presque immédiatement, ce qui dut rassurer le père de Matisse. *La Liseuse* est même achetée par le président Félix Faure et accrochée dans ses appartements privés de Rambouillet, où se déroulent les vacances et les chasses présidentielles. Il y a plus : l'éminent critique d'art Roger Marx, séduit par les envois de Matisse, devient l'un de ses plus chaleureux partisans, et Puvis de Chavannes, qui compte alors parmi les plus célèbres peintres d'Europe, le nomme membre associé du Salon, honneur qui le dispensera désormais de soumettre ses œuvres à un jury d'admission. Il ne pouvait rêver de succès plus complet et, s'il le désire, une confortable carrière s'ouvre devant lui. Roger Marx, en effet, fait partie du comité qui achète les copies des maîtres anciens pour les édifices publics français et il recommande volontiers son protégé pour ce travail. Matisse peut ainsi gagner jusqu'à douze cents francs par tableau copié — à une époque où un dîner convenable ne coûte guère plus d'un franc. Il aurait aussi une clientèle toute trouvée pour des toiles analogues à *la Liseuse* ou à la *Nature morte au couteau noir*.

Mais, Matisse le sait, cela ne suffit pas. Au cours de l'été 1896, à quelques jours de la clôture du Salon, il repart pour la Bretagne, cette fois avec Wéry. Grâce à ce dernier, il fait la connaissance du peintre impressionniste australien John Russell, qui séjourne alors à Belle-Ile. Ami de Monet et de Van Gogh, Russell parle souvent de ces deux artistes à Matisse, de leurs traits de caractère, de leur obstination à poursuivre leur œuvre en dépit de l'opinion, de leur attachement indéfectible à une indépendance sans compromissions. Russell fait même cadeau de deux dessins de Van Gogh à Matisse. Celui-ci est trop sensible pour ne pas être frappé de la différence entre l'attitude de Monet et de Van Gogh et celle des milieux artistiques officiels. Aucun changement immédiat ne se manifeste cependant dans son art. Il fait bien, dans une ou deux petites marines, quelques expériences avec la couleur pure, qu'il dépose sur la toile en une transcription directe de la sensation, mais sa toile la plus importante de cet été-là est *la Serveuse bretonne (page 24)*, représentant une jeune fille en costume du pays, penchée sur une table chargée d'assiettes, de bouteilles et d'un grand pain. C'est encore, en fait, un intérieur hollandais, transposé dans la clarté limpide des côtes bretonnes.

*L*a *Serveuse bretonne* est tout spécialement destinée au Salon. Les amateurs de peinture de ces années 1890 exigent en effet que les toiles soient consciencieusement travaillées et foisonnent d'une foule de détails. Les intérieurs bourgeois sont de même étouffants et encombrés de tentures et de tapisseries, d'abat-jour drapés et de guéridons surchargés de bibelots. Il y règne une véritable horreur du vide. A la limite, la peinture idéale du Salon devrait comporter un chevalier en armure, un groupe de cardinaux, un aperçu de végétation tropicale, quelques effets de vitraux, un festin médiéval avec plats et hanaps amoureusement fignolés, à l'arrière-plan une fenêtre ouverte sur une vue lointaine de Constantinople et, au premier plan, trois ou quatre femmes nues livrées à la danse.

Matisse ne se conforme pas à ces impératifs avec beaucoup de conviction, mais il se sent tout de même obligé d'offrir des compositions bien remplies. *L'Intérieur au chapeau haut de forme*, peint la même année que *la Serveuse bretonne*, en est une preuve. Jan Davidsz de Heem, le maître hollandais du XVIIᵉ siècle souvent copié par Matisse, eût admiré son émule, ne fût-ce que pour la variété des objets figurant dans ce tableau : outre le fameux chapeau haut de forme, on y voit un bureau où s'entassent des livres et des papiers, des vases de matières diverses, un flacon et un gobelet de verre, le tout se détachant sur un mur orné de peintures, de cadres et de châssis. Tous ces objets sont réels et palpables et, pour ainsi dire, à portée de la main. C'est du beau travail, patient et laborieux.

Au cours de l'automne 1896, Gustave Moreau, prenant Matisse à part, lui fait observer qu'il serait grand temps pour lui de se risquer à une œuvre de grande dimension. Cela, pour plusieurs raisons. Matisse a maintenant la réputation d'être l'un des meilleurs élèves de la classe de Moreau, et il doit s'affirmer comme tel selon les règles en cours au XIXe siècle. Pour les peintres de la génération de Moreau — qui est maintenant septuagénaire —, seule une vaste composition sur un grand sujet apporte à un artiste la consécration décisive de sa valeur. Des toiles telles que *le Radeau de la Méduse* de Géricault, *la Mort de Sardanapale* de Delacroix, *l'Atelier du peintre* de Courbet sont, en fait, des preuves et des épreuves attestant la maturité de leurs auteurs et, à l'époque pré-impressionniste, cette épreuve est tacitement obligatoire. Même si elle se solde par un échec, comme ce fut le cas pour *l'Apothéose d'Homère* d'Ingres ou *Homère et les bergers* de Corot, elle n'en est pas moins indispensable. Le peintre doit à son public et à lui-même de tenter l'aventure.

La seconde raison qui incite Moreau à encourager Matisse dans cette voie est la question du prix de Rome. Ce prix, qui existe toujours officiellement, décerné après un concours ouvert à tous les étudiants des Beaux-Arts, permet au lauréat de passer plusieurs années d'études à Rome aux frais du gouvernement français qui le prend entièrement en charge et le loge dans la Villa Médicis, l'un des célèbres palais de la Ville éternelle. Il jouit de la libre disposition des richesses artistiques de Rome, considérée alors comme le sanctuaire suprême de l'art occidental et, outre ces avantages matériels, il demeure à vie auréolé du prestige qui couronne les talents exceptionnels. Remporter le prix de Rome assure à un jeune peintre une avance considérable sur ses contemporains et, par la suite, s'il brigue une position académique ou officielle, cette distinction enviée lui sera la meilleure des recommandations. En tout cas, rares sont les jeunes artistes qui, jusqu'à ces derniers temps, envisageaient leur avenir sans tenir compte de cette possibilité d'accéder à une brillante carrière.

Personnellement, Moreau n'est pas très en faveur du prix de Rome; quant à Matisse, la seule mention de ce concours le fera, plus tard, « sortir de ses gonds ». Ce qui le rend si néfaste à ses yeux, c'en est surtout la préparation, qui suffirait d'après lui à faire perdre l'esprit à n'importe quel étudiant. Pour un garçon comme Rouault, qui a la tête sur les épaules, combien d'autres candidats y perdent toute chance de devenir des individus normaux et risquent de demeurer des artistes « ratés » toute leur vie! Néanmoins, il est fort possible que l'exemple de Rouault ait incité Matisse à se lancer, lui aussi, dans une grande composition. Rouault a déjà présenté pour le prix de Rome deux gigantesques scènes bibliques et, par deux fois, a échoué. Sans se décourager, il achève, en 1897, une autre toile immense sur un sujet de son invention, *le Chantier (page 23)*, qui compte au nombre des chefs-d'œuvre de la peinture.

Le décor du *Chantier* se situe dans l'un de ces faubourgs industriels indéterminés, en marge de la ville, que l'on appelle la « zone ». Il fait à peine jour, mais déjà les usines de l'arrière-plan sont en pleine activité, et des groupes d'ouvriers, par deux ou trois, traversent ce paysage sinistre pour reprendre leur servage quotidien. Au premier plan, deux hommes se battent, à mort semble-t-il, mais nul ne s'en soucie : la révolution industrielle a obscurci les cœurs comme elle a obscurci le ciel. Rouault a mis dans cette œuvre, qui est une mise en accusation de la société, ses souvenirs d'enfant et d'adolescent des bas quartiers de Paris. Moreau admire, dans *le Chantier*, la profondeur et l'ampleur de la vision, où il lui semble retrouver la puissance dramatique des pièces historiques de Shakespeare.

Matisse ne pouvait qu'être impressionné par l'entreprise de Rouault, tout en sachant que lui-même n'était pas fait pour traiter de tels thèmes. Son art, à cette époque déjà et toute sa vie durant, se place sur un plan totalement étranger aux messages sociaux, politiques ou religieux. Matisse n'aspire ni à changer la société ni même à en donner une image fidèle. Nul ne l'a jamais entendu discuter de politique, et il a vécu et il mourra en incroyant. Au plus fort de sa révolution plastique, il traite des sujets traditionnels : scènes familiales, tables chargées de fruits, de mets et de boissons, beautés alanguies dans des intérieurs ornés... A voir l'une quelconque de ses expositions, on ne pourrait imaginer qu'il a vécu l'une des périodes les plus tragiques de l'histoire, et que le monde s'est transformé de façon radicale et irréversible pendant le cours de son existence. Ses toiles, en un sens, sont des images du paradis terrestre.

Aussi, lorsque Moreau le presse de créer une grande œuvre pour le Salon de 1897, Matisse reprend-il l'un des sujets constants de la peinture française : une table servie. Il l'appellera *la Desserte*. Cette table est celle d'une salle à manger cossue, et la servante qui se penche pour retoucher le bouquet est bien dans la lignée des servantes au grand cœur chères à la littérature française, de Molière à Proust. L'argenterie étincelle, les fruits soigneusement choisis s'empilent en pyramides sur les compotiers, les vins blancs et rouges luisent dans les carafes — tout évoque une atmosphère de confort bourgeois et d'abondance raffinée.

La Desserte (pages 24-25) témoigne en outre des progrès considérables de la technique de Matisse. Individuellement, chacune de ces natures mortes est traitée avec une virtuosité qui, par comparaison, fait paraître timide et gauche le traitement de *la Serveuse bretonne*. Il a aussi appris à composer et sait, par exemple, comment empêcher la scène de se déséquilibrer vers les bords; les verticales des carafes sont si rigoureuses qu'on pourrait presque, selon le mot de Moreau, « y accrocher son chapeau », tandis que les horizontales des lambris et du cadre pendu au mur introduisent des facteurs supplémentaires de stabilité. L'œuvre est d'une facture plus hardie et plus sûre que tout ce que Matisse a produit jusqu'alors; elle constitue un hommage à l'impressionnisme, dont il a, en très peu de temps, réussi à assimiler l'influence.

Mais il faut surtout regarder *la Desserte* comme une sorte d'adieu. Matisse, apparemment, saura toujours à quel moment il a tiré le profit maximal d'un certain style; ce tableau achevé, il comprit qu'il avait maîtrisé les ressources de l'impressionnisme et pouvait aller de l'avant. Dès cet instant précis, il suivra sa voie propre. La remarque prophétique de Moreau : « Vous êtes né pour simplifier la peinture » dut alors lui revenir souvent à l'esprit. Avec l'opiniâtreté dans le travail et dans la poursuite de ses buts, trait dominant de son caractère, il allait, au cours de la décennie précédant l'année 1914, créer de grandes œuvres et démontrer que Moreau avait vu juste.

Henri Matisse a reçu une formation juridique,
et il ne commencera à étudier la peinture que peu
avant la trentaine. Mais, une fois décidé, il
poursuivra ses études avec la logique et la
détermination d'un avocat résolu à gagner une
cause. Convaincu de sa vocation, il possède déjà
une belle assurance. Marquet raconte qu'un jour,
à l'École des Arts décoratifs, le massier annonce
l'entrée du professeur : « Messieurs, découvrez-vous! »
— « Ah non! proteste Matisse; moi, je garde
mon chapeau, à cause des courants d'air. »
Il semble qu'un jeune homme si sûr de lui
pourrait être moins ferme quant aux buts
qu'il poursuit. En fait, Matisse vivra de nombreuses
et cruelles années avant de dégager son style
personnel. Guidé par Gustave Moreau, son professeur
aux Beaux-Arts, il assimile les principes fondamentaux
du dessin et de la composition; l'examen des
toiles impressionnistes lui permet de comprendre
l'intensité de sentiment que recèle la couleur pure;
de l'étude de Cézanne, il retiendra la nécessité
d'une construction picturale solide. Mais ces révélations
ne viendront à lui qu'après des années d'observation
attentive et de travail acharné — des années
de désespoir aussi, au cours desquelles il sera
bien près d'abandonner la peinture. Matisse copiera
des tableaux de musées, expérimentera des styles
différents et se débattra entre les conceptions
des maîtres anciens et les théories des modernes.
Cette quête lui fera découvrir un art nouveau
et plein de vie, un art d'une apparente et
trompeuse simplicité, mais que seul a pu élaborer
un homme passionnément dédié à la création.

Le tardif débutant

Cet autoportrait
sérieux et posé a été
peint par Matisse à Paris
en 1900. Il était alors
âgé de trente et un ans.
Toute sa vie, il
continuera à s'observer
et à se représenter,
soit en des portraits
(page 81), soit en
des croquis *(page 6)*,
soit encore avec un
modèle *(pages 110-111)*.

Autoportrait, 1900

Gustave Moreau : *les Licornes*, v. 1890

P eintre de grand talent et admirable professeur,
Gustave Moreau forme et guide au cours des années
1890 quelques-uns des plus grands artistes
modernes, parmi lesquels Matisse, Rouault et Marquet.
De technique traditionnelle, les tableaux de Moreau
sont d'une étrange originalité quant à leur inspiration.
Obéissant au principe de la « richesse nécessaire »,
il prodigue dans des toiles, telles que
les Licornes (à gauche), la somptuosité de son
imagination accordée à des scènes légendaires ou
mythologiques. Mais son enseignement aux Beaux-Arts
préconise la simplicité de la notation et de la couleur,
et l'observation directe du monde de la rue.

L'élève préféré de Moreau est Rouault, esprit
profondément religieux, dont l'une des premières
œuvres *(ci-dessous)* atteste combien l'avait marqué
la banlieue industrielle de sa jeunesse, avec ses usines
et la rudesse brutale des hommes. Également élève de
Moreau, Marquet, lui, souffre d'un repliement sur soi
qui va jusqu'à l'effacement pathologique. Éclipsé par
Matisse et par Rouault, en partie à cause de son
excessive timidité, il restera dans l'ombre jusque vers la
fin de sa vie, époque où ses modestes paysages et ses
scènes familières lui vaudront alors quelque renommée.

Albert Marquet : *Nu dit « fauve »,* 1898

Georges Rouault : *le Chantier,* 1897

23

La Serveuse bretonne, 1896

Nature morte au compotier, 1897-1898

Les leçons de Moreau aident Matisse
à perfectionner sa technique mais, seul
à son chevalet, il passe des heures à s'efforcer
désespérément d'assimiler toutes ses acquisitions.
Ce n'est qu'en 1896 — il a alors vingt-sept
ans — au cours de ses vacances d'été à Belle-Ile,
en Bretagne, qu'il se risque à peindre des
toiles dépassant le niveau de l'exercice.
L'une des plus réussies est *la Serveuse bretonne
(en haut),* dont les détails et la composition
rappellent l'influence qu'exercent sur lui
les peintres hollandais. Plus significative est la

La Desserte, 1897

lumineuse nature morte *(ci-dessus à gauche)*, où
il commence à rechercher des effets de couleur
pure. Il est aidé dans cette découverte de la
couleur par sa rencontre fortuite avec le peintre
J. Russell. Celui-ci a travaillé naguère avec
le grand impressionniste Claude Monet. Les

tableaux de Russell et ceux de sa collection de
peinture moderne (il fait cadeau à Matisse
de deux dessins de Van Gogh) contribueront à
libérer le jeune artiste de « l'art des musées ».
Sur les instances de Moreau, il peint *la Desserte*
en un style impressionniste chatoyant.

25

Esprit pondéré, Matisse ne s'affolera jamais d'aucune de ses découvertes. Sa carrière est une suite de révélations, suivies de périodes de méditation et de synthèse. Ainsi, ayant reconnu les possibilités de la couleur pure, il entreprend de consolider son style en apprenant à construire rigoureusement sa composition. Son guide, cette fois, est Cézanne, dont, jusqu'en 1936, il gardera sous les yeux une toile de *Baigneuses*. Profondément convaincu du génie du maître d'Aix, Matisse répète à ses amis : « Cézanne est notre maître à tous. »

Homme nu, v. 1900

L'Homme nu (ci-contre) de Matisse, avec ses plans angulaires, ses bleus et ses verts sombres et sa lourdeur sculpturale, montre clairement l'influence de Cézanne. *Carmelina (ci-dessous)* est une étude plus nuancée et plus mûrie mais, fidèle en cela à la leçon essentielle de Cézanne, fortement architecturée; pourtant, les plans nets de Cézanne font ici place à des effets de rondeur. Les couleurs de Matisse, encore assourdies, éclateront bientôt, mais c'est sans hâte que l'artiste progresse vers la révélation de son style personnel.

Carmelina, 1903

II

L'expérience
pointilliste

En mars 1897, Matisse pouvait se féliciter d'avoir eu plus que sa large part de chance dans la vie. Stimulé par l'enseignement d'un merveilleux maître, son talent, déjà reconnu officiellement, lui valait l'appui de personnages influents. L'un de ses tableaux avait trouvé place dans la résidence secondaire du président de la République. Il comptait, au nombre de ses partisans, Puvis de Chavannes, président du Salon, et Roger Marx, critique d'art influent. Ses camarades d'atelier admiraient son extraordinaire détermination qui faisait de lui leur chef de file. Des hommes à l'esprit ouvert et cultivé étaient ses amis. Enfin et surtout, il venait de terminer une grande peinture, *la Desserte*, où son amour de la riche matière et du beau métier semblait enfin devoir trouver sa récompense.

Un mois plus tard, cependant, la chance tourne. *La Desserte*, exposée au Salon, suscite, pour la première fois, des attaques ouvertes contre Matisse. « On aurait dit », s'écria le peintre, « qu'il y avait des microbes au fond de mes carafes. » On l'interprète comme un manifeste de l'impressionnisme qui, aux yeux de bien des gens, est encore fort peu respectable. Justement, un nombre important de toiles impressionnistes — parmi lesquelles des chefs-d'œuvre de Monet, de Renoir et de Pissaro — léguées à l'État par le riche collectionneur Gustave Caillebotte, viennent d'être exposées au musée du Luxembourg qui, à l'époque, est considéré comme un musée d'art moderne, mais a longtemps servi de citadelle à l'académisme le plus conventionnel. L'exposition fait l'objet d'une vive polémique, et l'on accuse Matisse de l'envenimer délibérément en envoyant au Salon un tableau représentatif du mouvement.

C'est une absurdité, aussi bien psychologique qu'artistique. Matisse ne se soucie pas de faire sensation, mais d'explorer, l'une après l'autre, les perspectives qui s'ouvrent à la peinture. Si Moreau est un professeur incomparable, son enseignement comporte toutefois des lacunes qu'il appartient à ses élèves de combler eux-mêmes. Ainsi, le nom de Cézanne n'a jamais été mentionné dans sa classe, et un étudiant qui n'a pas affronté le problème de Cézanne se trouve hors d'état d'affronter le problème crucial de l'art du XXe siècle : « Qu'est-ce que la peinture ? »

Cette question, les peintres se la posent depuis le commencement

Trop pauvre pour payer un modèle professionnel, Matisse, pour ce tableau, fait poser sa femme en costume de toréro. Tandis qu'il s'absorbait dans son travail, elle s'assoupit et fit vibrer par mégarde les cordes de la guitare. Furieux d'être dérangé, Matisse envoya un coup de pied dans la guitare. Tous deux éclatèrent de rire. La tension rompue, Matisse put achever calmement son tableau.

La Guitariste, 1903

Cette photographie a été prise
à l'époque du mariage de Matisse,
alors qu'âgé de vingt-neuf ans,
il se demandait s'il devait continuer
à peindre. Cette angoisse n'affecta
en rien sa décision d'épouser
Amélie Parayre, dont il admirait
la bonté, la force de caractère
et la douceur. Le mariage eut lieu
le 8 janvier 1898. Pendant
de nombreuses années,
Mme Matisse apportera à son mari
le soutien d'une affection dévouée
et d'un esprit éminemment pratique.

des temps mais, vers 1900, elle revêt un caractère particulier. Presque tout le monde admet alors que la mission de l'artiste n'est plus d'imiter ce qu'il a sous les yeux, et que c'est à lui, et non à la nature, de décider ce que sera un tableau. On lui reconnaît le droit d'intensifier la couleur, de modifier les formes, de recomposer les objets à son gré, d'ajouter à la réalité ou d'en retrancher des éléments. Jadis humble serviteur de la nature, l'artiste en est devenu le rival et l'égal. Mais, dans son sillage, la liberté entraîne le doute et l'incertitude. L'homme libre de faire ce qu'il veut éprouve souvent de la difficulté à déterminer ce qu'il préfère. C'est pourquoi, de 1900 à 1914, diverses manières picturales se succèdent avec une incroyable rapidité. Ce qui a cours telle année se trouve dévalué l'année suivante. Pour un peintre comme Matisse, ni très jeune ni très sûr de lui, la situation est particulièrement difficile.

De toute façon, son problème personnel ne réside bientôt plus dans le fait de savoir comment peindre, mais s'il doit même continuer à peindre. Il a vécu jusqu'à présent de la petite pension allouée par son père et de la vente occasionnelle d'un tableau. Mais *la Desserte* ayant détourné de lui les amateurs, son père menace alors de lui couper les vivres. Pour compliquer encore les choses, en janvier 1898, Matisse décide de se marier avec une jolie fille des environs de Toulouse, Amélie-Noëlie-Alexandrine Parayre, qu'il a rencontrée quelques semaines plus tôt au mariage d'amis communs. Mme Matisse occupera une place de choix dans la cohorte des épouses d'artistes. Le peintre se laisse séduire par sa belle chevelure noire, la distinction de son allure, l'aisance avec laquelle elle porte les vêtements les plus fantaisistes, et son entrain joyeux à se prêter aux mises en scène d'atelier. Nature courageuse et pleine de ressources, elle fera tout en son pouvoir pour aider Matisse et, dans les jours difficiles, lui sera d'un incomparable soutien.

Après un bref voyage de noces à Londres, les jeunes époux partent pour une longue — et peu coûteuse — lune de miel en Corse. Ils ne seront pas de retour dans leur appartement du 19, quai Saint-Michel, avant le mois de février 1899. Paris, pendant ce temps, a changé. Gustave Moreau est mort du cancer qui l'a torturé les derniers temps de sa vie. Son successeur à l'École des Beaux-Arts, Fernand Cormon, spécialisé dans les tableaux historiques, est scandalisé par les travaux de Matisse : « Après le départ du professeur, racontera Matisse, le massier vint à moi : « Je regrette sincèrement d'avoir à te dire que le patron m'a demandé ton âge. Je lui ai dit : trente ans. — Est-il convaincu ? m'a-t-il demandé. — Oui, Maître, ai-je répondu. — Alors, il faut qu'il parte. »

Gustave Moreau manque douloureusement à Matisse et, désormais, l'atmosphère et les facilités de travail de l'École vont lui faire également défaut. Les cours privés et les séances d'atelier temporaires ne remplacent pas la fréquentation des Beaux-Arts. Au Salon, il est de moins en moins le bienvenu, car son protecteur, Puvis de Chavannes, est mort lui aussi, et les autres membres n'ont aucune envie de s'attirer des complications avec les toiles controversées de Matisse. Pour lui, Paris devient un désert. Afin de survivre, il lui faut accepter les tâches les plus subalternes. Ainsi, pendant des mois, au cours de l'année 1900, il travaille à la décoration du Grand Palais, qui s'édifie aux Champs-Élysées : il s'agit de dorer d'interminables corniches de feuilles de laurier, et Matisse s'y emploie avec sa conscience habituelle. Son ami

Marquet, lancé dans la même aventure, n'a pas son stoïcisme. Il interpelle un jour son camarade : « Encore dix-sept quarts d'heure. A un franc de l'heure et avec neuf heures de travail par jour, que peut-on souhaiter de mieux ? » Ulcéré, Matisse réplique : « Ferme ça, Albert, ou je te tue! »

L'humidité et la poussière des chantiers du Grand Palais valent à Matisse une bronchite chronique. Pour l'en guérir, son père, en 1901, l'emmène en Suisse respirer l'air pur des montagnes pendant quelques semaines. Il se remet et en profite pour peindre quelques petits paysages. Mais les grands projets qui auraient pu rassurer sa famille restent en suspens. Désespérant de l'avenir artistique de son fils, Émile Matisse finit par supprimer la petite pension qui constituait la principale ressource du jeune couple, ayant à présent la charge de trois petits enfants (Marguerite, qui deviendra la femme de l'historien d'art Georges Duthuit, Jean, un sculpteur, et Pierre, qui a fondé une galerie d'art réputée à New York). Dans ces conditions, il ne reste plus à Matisse qu'à retourner vivre chez ses parents, à Bohain-en-Vermandois.

Les années 1902 et 1903 seront remplies d'anxiété et d'amertume. Il continue à exposer au Salon, mais ses tableaux ne trouvent guère d'acquéreurs. Il essaie de réunir alors un petit groupe d'admirateurs susceptibles de le commanditer, mais la tentative échoue. Matisse, périodiquement, doit confier ses enfants à la garde de proches parents. Sans l'esprit d'initiative de Mme Matisse, qui ouvre une petite boutique de modiste située rue de Châteaudun, la maisonnée ne pourrait guère subsister. C'est pourtant au cours de cette période de crise aiguë que Matisse découvre enfin, et grâce à Cézanne, la véritable voie de son art.

Il fait connaissance avec les œuvres de Cézanne chez le grand marchand de tableaux Ambroise Vollard, qui en possède des dizaines. Sous une apparence d'indolence presque pathologique — il arrive à Vollard de s'assoupir au milieu d'une conversation —, ce curieux homme dissimule un flair commercial exceptionnel. Au premier coup d'œil, il reconnaît une œuvre de valeur et, en achetant les tableaux des jeunes artistes, lorsque personne n'en veut, il s'arrange pour se les attacher, pieds et poings liés, par contrat. On a toujours ignoré le nombre exact des toiles de Cézanne, de Renoir, de Degas que Vollard a pu ainsi thésauriser : il restait très mystérieux au sujet de ses acquisitions, et ne se souciait guère de tenir à jour des livres de compte. On peut affirmer, sans risque d'exagération, qu'au moment de sa mort il détenait plus de chefs-d'œuvre impressionnistes et post-impressionnistes qu'aucun musée. Mais, vers 1898, pénétrer dans sa petite galerie représente déjà les premiers pas vers l'aventure.

Celui qui entraîne Matisse chez Vollard s'appelle Camille Pissarro. Peintre plus âgé, il aime les jeunes artistes et fait tout ce qu'il peut pour les aider. Il dit un jour à Matisse que Cézanne lui semble exactement le peintre qu'il devrait étudier. Cézanne est le contraire des impressionnistes : tandis que ceux-ci s'efforcent de capter le côté éphémère de la nature, Cézanne, lui, ne laisse rien au hasard; il organise ses toiles avec une rigueur absolument sans faille. Chaque touche est chargée de sens, d'un sens voulu et contrôlé par l'artiste. Or, il se trouve que depuis longtemps Matisse, fidèle au conseil de Moreau, cherche à « simplifier la peinture ». Cézanne va lui donner le moyen

Matisse apparaît sous les traits d'un bon père de famille sur cette photographie où on le voit avec sa femme et ses trois enfants : Pierre à gauche, Jean avec un camarade sur les épaules, et Marguerite, assise. Très attachée à son père, Marguerite posera pour lui patiemment, pour de multiples portraits et dessins. Plus turbulents, les garçons s'efforceront d'échapper à cette corvée mais, eux aussi, ensemble ou séparément, lui serviront de modèles. Tous figurent dans le célèbre tableau de Matisse la Famille du peintre (page 87).

d'atteindre son but. Tout le secret est de n'admettre sur la toile que les éléments essentiels à l'idée préconçue.

Cette découverte obsède Matisse à tel point qu'il lui paraît indispensable d'avoir une toile de Cézanne constamment à sa portée. Tout autre peintre que lui se serait contenté d'une photographie ou d'une reproduction. En 1899, il réussit à réunir la somme de cinq cents francs, à titre d'acompte sur un petit Cézanne qu'il a vu chez Vollard, *les Trois baigneuses*. Il est très difficile d'obtenir de Vollard qu'il vende quoi que ce soit : « J'y penserai », dit-il toujours et, pendant ce temps, il multiplie son prix par dix. Mais, pour une fois, Matisse a de la chance et, pour mille cinq cents francs, il acquiert non seulement son Cézanne, mais aussi une tête de jeune garçon de Gauguin et un buste de Rodin. Bien souvent, dans des moments d'extrême dénuement, les amis de Matisse lui conseilleront de se défaire de son Cézanne, mais l'artiste ne s'y résoudra jamais : il lui est aussi nécessaire que l'oxygène l'est au scaphandrier des grandes profondeurs marines.

En considérant son œuvre ultérieure, on comprend pourquoi. *Les Trois baigneuses* sont l'une des nombreuses toiles où Cézanne affronte le problème du nu féminin dans la nature. La plupart des tableaux de ce genre donnent à penser, même involontairement, qu'une telle situation est artificielle. Ce n'est pas le cas des baigneuses de Cézanne. Ces corps dévêtus réussissent à paraître aussi bien à leur place dans le décor que l'herbe ou les arbres, et cela parce qu'ils sont traités en tant qu'objets, ni plus ni moins importants que les autres éléments de la composition. Ils ne sont pas dépourvus de cette sorte de gaucherie gênée qui accompagne ordinairement l'état de nudité, mais ils ont en même temps une profonde et authentique qualité organique, analogue à celle des arbres, des rochers et de l'eau mouvante. En elle-même, cette toile est un tout, et son unité lui est imposée par la vision directrice lucide de l'artiste.

Le premier effet de cette œuvre sur Matisse est de l'inciter à reprendre l'étude du nu. Cézanne le traite de façon sculpturale, lui conférant masse et volume, plénitude et rondeur. Incapable de prétendre à une connaissance qu'il ne possède pas, Matisse, humblement, retourne à l'école et apprend la sculpture. Il s'inscrit aux cours du soir gratuits organisés par la Ville de Paris et se met au travail avec acharnement. Lorsqu'on lui donne à copier, par exemple, le célèbre groupe du sculpteur animalier A. L. Barye, *Jaguar dévorant un lièvre*, il ne se contente pas d'en reproduire la forme extérieure : il passe des mois à étudier l'anatomie du lièvre.

Sa première œuvre sculptée importante est un nu masculin, dans la position debout, intitulé *le Serf* et inspiré par le célèbre *Homme qui marche* de Rodin. Le modèle qui a posé pour Matisse, un athlétique paysan italien nommé Bevilacqua, a d'ailleurs été souvent utilisé par Rodin. Mais, pour ce nu comme pour le groupe de Barye, Matisse n'envisage pas un instant une simple imitation. Bevilacqua est un colosse à l'allure nettement anthropoïde, à qui l'artiste demandera de poser plus de cinq cents fois avant de se déclarer satisfait du résultat obtenu. Ces cinq cents séances lui seront nécessaires pour déterminer exactement les volumes qu'il lui faut accentuer, déformer, redistribuer ou atténuer afin de capter l'essence du modèle. L'œuvre achevée est bien à l'image de Bevilacqua, mais c'est aussi une sorte de forteresse — une incarnation de la force et de la

C'est seulement lorsqu'il sera déjà âgé, célèbre et totalement sûr de son art que Matisse aura le courage de se séparer du tableau de Cézanne, *les Trois baigneuses,* qu'il a acheté à Vollard en 1899. En l'offrant, en 1936, au musée du Petit Palais, il explique dans une lettre les raisons de son attachement à cette toile, en sa possession depuis trente-sept ans : « Elle m'a soutenu moralement dans les moments critiques de mon aventure d'artiste; j'y ai puisé ma foi et ma persévérance. »

résistance, qui dépasse de loin toute représentation individuelle.

Matisse, en même temps, exécute des peintures de Bevilacqua, et sa touche, dans cette série de nus masculins, est très différente des effleurements délicats avec lesquels il traitait ses petits paysages. Ces anatomies semblent taillées à coups de serpe dans du bois brut. Matisse, parfois, ouvre une plaie sous le sein gauche du modèle, comme pour figurer un guerrier blessé, ou bien lacère et taillade les formes du corps, les exagérant jusqu'à la parodie, puis il les examine sous une lumière brutale, tour à tour rouge, violette, fauve et bleu-vert. En somme, il se débat avec les leçons de Cézanne et de Rodin à la manière de Jacob luttant avec l'ange.

En 1901, il revient au nu féminin, dans une facture orientée vers la puissance, la monumentalité, les effets chromatiques étranges et surprenants. Sans aller jusqu'à brutaliser les corps comme ceux des nus masculins, il réussit à obtenir une intensité expressive entièrement neuve. Plaçant, par exemple, son modèle sur un fond orange, il dessine la ligne du sourcil et du nez d'un seul trait incurvé en forme de faucille, qui n'a rien à voir avec la « bonne peinture » académique ni avec une donnée visuelle directe. Et, pourtant, cette ligne est parfaitement juste. Jamais regard d'artiste porté sur le nu féminin n'a encore été plus dépouillé et plus incisif. Ce qui fait normalement l'objet d'une présentation prudente, douillette et feutrée, est ici imposé sur les sens à vif comme un fer rouge.

Peindre de la sorte exige de la part de l'artiste une tension presque insoutenable. Matisse, qui semble toujours l'homme le plus circonspect du monde, travaille en réalité dans un climat d'angoisse intense. Il montre souvent, devant son chevalet, tous les symptômes physiques d'un extrême désarroi : il tremble, pleure, jure, se couvre de sueurs abondantes, se livre à des accès de violence inexplicables. Son gendre Georges Duthuit écrit à ce sujet : « Matisse a connu bien des moments de panique. Son évolution n'a rien d'une progression continue dans une

Cherchant dans la sculpture un approfondissement de sa connaissance du corps humain, Matisse, en 1900, dans son atelier du quai Saint-Michel *(à gauche)*, commence à modeler en terre glaise une étude appelée *le Serf*. Dans sa poursuite de la simplification formelle, il élimine tout ce qui n'est pas essentiel à la vérité du sujet, et se conforme au conseil de Rodin en considérant chaque partie du corps comme un élément distinct. Dans sa version définitive du *Serf (ci-dessus)*, achevée en 1903, Matisse a supprimé les bras (existant dans l'étude), jugés dépourvus de valeur expressive pour l'ensemble de la statue.

éblouissante clarté. Elle n'a pas été non plus une ascension mystique ininterrompue; il ne s'est jamais consumé dans une seule flamme jaillissante. Il s'est approché pas à pas d'une certaine idée de la réalité, constamment soumise à révision. Des envolées dans l'empyrée ont alterné avec des périodes de doute et d'obscurité, pendant lesquelles il avait besoin, semble-t-il, de se redonner l'assurance que la terre existait toujours. »

Bref, l'acte de peindre est une souffrance pour Matisse, et il cherche souvent un dérivatif dans des occupations plus routinières. Paris, à cette époque, compte quantités de cours d'art. Matisse prend l'habitude de faire irruption dans ces ateliers, un peu à la manière dont une danseuse étoile au faîte de sa carrière continue à venir tous les matins faire ses exercices à la barre parmi les débutants. Au long d'une même journée, ses pérégrinations dans Paris peuvent le mener d'un cours privé de la rue de Rennes à l'Académie Colarossi, puis, après le dîner, à l'École municipale de sculpture de la rue Étienne-Marcel. En classe, il travaille assidûment sur le sujet proposé et demande au modèle de garder la pose, longtemps après que les autres élèves s'en sont lassés. Au moment de la correction, le professeur — qui peut être quelqu'un comme Eugène Carrière, peintre de maternités attendries — reste souvent abasourdi devant ce que Matisse lui montre, mais il ne peut s'empêcher d'éprouver du respect pour la ténacité de cet élève insolite.

La ténacité n'empêche pas le besoin de l'artiste d'échanger et de partager ses idées avec un ami. Cet ami, Derain, rencontré à l'Académie Carrière, Matisse le présente en 1901, au cours d'une exposition rétrospective de Van Gogh à la galerie Bernheim, à Maurice de Vlaminck. Les deux hommes, tous deux d'ailleurs bâtis en hercules, affectionnent les accoutrements bizarres et pittoresques — Vlaminck arbore fréquemment un nœud de cravate en bois sculpté et peint — et ne passent guère inaperçus. Dans l'euphorie de cette exposition, qui rassemble tant d'œuvres d'un artiste si important pour eux tous, Derain et Vlaminck pressent Matisse de venir les voir chez eux, à Chatou. Ainsi commence l'une des amitiés les plus fécondes de l'art moderne français. Avec Derain et, à un moindre degré, avec Vlaminck, Matisse va poursuivre ses investigations jusqu'à assurer, en 1905, le triomphe de « la couleur pour la couleur » et l'affirmation d'un nouveau mouvement : le fauvisme.

C'est une expérience inédite pour Matisse que de se trouver en contact avec des peintres de talent de la jeune génération. Il va voir ses nouveaux amis et, dira Vlaminck, « sa visite à Chatou avait rajeuni Matisse de dix ans. » Celui-ci, en effet, à l'époque, est âgé de trente et un an, Derain en a vingt et un; quant à Vlaminck, qui en a vingt-cinq, il est marié et père de deux enfants, mais il prend la vie avec une souveraine désinvolture, bien qu'il ait rarement deux sous devant lui. C'est, en partie, une question de constitution physique. Ce colosse rouquin a fait de la boxe, de la lutte, des courses de bicyclette, et déborde d'une vitalité qui lui permet de se tirer sans dommage d'aventures qui eussent terriblement accablé Matisse. Il fait vivre sa famille en jouant ici et là du violon dans un orchestre — parfois tzigane — et en écrivant des romans croustillants qui arrivent juste à la limite de la littérature pornographique.

Il ne vient pas à l'idée de Vlaminck de vivre de sa peinture, et moins encore de créer une œuvre digne d'entrer dans un musée. Il ne songe pas davantage à établir une filiation quelconque entre lui et les grands maîtres du passé : entreprise prétentieuse et qui semble vouée d'avance à l'échec! Que lui importe ce qui a été fait avant lui? En art, pense-t-il, chaque génération doit tout recommencer à zéro. Vlaminck peint comme il sent, sans études ni préliminaires. Il utilise la couleur pure, sortie directement du tube et ne se soucie pas de dessin. « Le fauvisme, écrira-t-il plus tard, n'était pas une invention, une attitude. Mais une façon d'être, d'agir, de penser, de respirer. » D'instinct, il recourt aux couleurs les plus stridentes et les utilise avec cette sorte d'abandon qui est la caractéristique même des œuvres enfantines. En fait, les premiers Vlaminck pourraient être signés par un enfant de huit ans, extrêmement doué.

Matisse est frappé de constater que, par la seule force de l'instinct, Vlaminck est parvenu à la même conception du rôle de la couleur que lui-même, après tant d'efforts et d'expérimentations conscientes. Ses affinités, cependant, le portent plutôt vers Derain, dont la peinture, à cette époque, ambitieuse et longuement travaillée, procède, sur le mode mineur de celle de Cézanne. Très différent de Vlaminck, Derain n'affiche aucun mépris pour la culture intellectuelle; il a de vastes lectures sur les sujets les plus divers et s'intéresse particulièrement à l'histoire de l'art. Ce qui ne l'empêche pas, à l'occasion, de rivaliser de verdeur de langage et d'endurance physique avec son camarade : couvrir 150 kilomètres à bicyclette dans la journée n'est pour lui qu'une promenade.

Derain et Vlaminck sont, si l'on peut dire, des originaux classiques. En hiver, ils campent dans une guinguette abandonnée au bord de l'eau et font brûler le mobilier pour se chauffer; par beau temps, ils parcourent la campagne, seuls, ou en compagnie d'une bande de bohèmes et de vauriens. Mais il y a entre eux une différence sensible. Les parents de Vlaminck mènent une existence à peine moins précaire que celle de leur fils, tandis que ceux de Derain ont une vie relativement aisée; Derain est le fils d'un assez riche boulanger-pâtissier de Chatou, qui tient boutique sur la place et occupe un siège au conseil municipal. Mi-envieux, mi-admiratif, Vlaminck traite Derain de « plante de serre », et ne se formalise pas lorsque le père de son ami lui interdit formellement l'accès de son foyer.

Tandis que Vlaminck bat la campagne comme un braconnier, à la recherche du motif, Derain, âgé de dix-huit ans, étudie l'art sérieusement et copie, au Louvre, le *Portement de croix* de Ghirlandaio. Vlaminck a traité le service militaire comme une vaste plaisanterie : il a joué des cymbales dans l'orchestre du régiment et rédigé des articles sur l'armée au bénéfice d'un journal anarchiste; pour Derain, au contraire, ce sera une épreuve de tous les instants qu'il aura à peine la force de supporter jusqu'au bout.

Vlaminck se lance dans la peinture sans plus réfléchir qu'un taureau dans l'arène fonçant sur le matador. Derain, quant à lui, considère que la peinture fait partie intégrante du monde des idées. Il a lu nombre d'ouvrages de physique, de philosophie, de poésie et d'histoire de l'art, et n'ignore pas que les anciennes théories touchant la nature de l'univers et les forces qui la régissent sont désormais périmées. Son époque est celle de l'investigation renouvelée, radicale et intrépide. Pourquoi la peinture y échapperait-elle? Au cours de l'hiver de 1901, dans une lettre à Vlaminck écrite du Nord de la France où il fait son service militaire, Derain déclare prophétiquement qu'il a conscience que la période réaliste est finie et que, dans le domaine de la peinture, on ne fait que commencer.

Par leur tournure d'esprit, Matisse et Derain sont très proches. A sa façon, Derain est un homme universel : il aimerait marquer de son empreinte les domaines du théâtre, de la philosophie, de la littérature, et même de la politique, alors que Matisse n'a dans la vie qu'un seul et unique but : l'art. Mais, lorsque Derain oublie la physique, la métaphysique, l'éthique de l'administration coloniale et se concentre sur les problèmes de la peinture, ses conceptions et celles de Matisse offrent un certain parallélisme. Par la seule réflexion, Derain est arrivé à la conclusion suivante, devenue le principe fondamental de l'art du XXe siècle : la peinture doit offrir un équivalent, non une imitation, de la nature et la grande erreur des peintres est d'avoir essayé de saisir les effets momentanés de la nature. Il ne leur est jamais venu à l'idée, pense-t-il, que ce qui produit ces effets n'a rien à voir avec ce qui produit la bonne peinture.

A ses yeux, donc, une bonne peinture éveille chez celui qui la contemple la même impression de vitalité exaltée que le spectacle de la nature; c'est cette puissance vitale, et non l'imitation, qui importe. Il incombe à l'artiste de poser la couleur sur sa toile de façon à agir directement sur le système sensitif du spectateur. Pour y parvenir, il lui faut être prêt à dénoncer dans une large mesure le contrat tacite existant jusqu'alors entre lui-même et son public, et selon lequel l'expérience visuelle proposée par la peinture doit constituer une approximation de l'expérience visuelle proposée par la nature. Plus le tableau s'approche de cet idéal, plus il est réussi. Il s'agit désormais de changer tout cela, et rien ne résume de manière plus concise la transformation nécessaire des habitudes que cette remarque de Matisse : « J'ai répondu à quelqu'un qui me disait que je ne voyais pas les femmes comme je les représentais : ... Avant tout, je ne crée pas une femme, je fais un tableau. » Le tableau devient un objet en soi, indépendant de l'objet qui l'inspire et soumis aux seules lois qui président à sa conception.

Matisse, en fait, est tout près d'aboutir à cette sorte d'art au cours de ce même hiver où il se débat avec les leçons de Cézanne. Mais, selon la pente de son caractère, il est lent à se décider. Il tâtonne dans une voie, puis dans une autre, parfois se donnant libre carrière, parfois travaillant une toile avec un métier appliqué, une facture presque germanique. Ces passages d'un style à l'autre peuvent être attribués aux tourments que lui cause sa situation financière et à sa morne existence à Bohain-en-Vermandois, où il est contraint de passer la majeure partie des hivers de 1902 et 1903.

Matisse, en général, n'est pourtant pas homme à laisser voir ses sentiments. Il est impossible, par exemple, de ne pas interpréter l'éblouissant portrait de Mme Matisse, *la Guitariste (page 28)*, peint en 1903, comme l'expression d'un homme parfaitement heureux. Assise sur une chaise, la jeune femme, vêtue d'un costume pseudo-espagnol qui rehausse sa beauté de Méridionale, feint de pincer les cordes d'une guitare; l'artiste a placé derrière elle une tenture bigarrée jouant les châles espagnols et, sur une table, quelques fleurs jaunes dans un vase de cristal. Les rehauts noirs du costume rappellent les accents d'un noir lustré chers à Manet, et la pose inclinée du modèle sur sa guitare celle de la joueuse de luth dans *la Lettre d'amour* de Vermeer. C'est une œuvre d'une technique brillante, mais Matisse se

Possédé par la passion de la peinture, Maurice de Vlaminck — qu'on voit ici en son âge mûr, la pipe dans une main, son immense palette dans l'autre — ne s'y donnera sérieusement qu'après sa rencontre avec Derain. Pour ce géant individualiste et autodidacte, être peintre n'est pas une profession, pas plus que d'être anarchiste, amant, coureur à pied, rêveur ou boxeur.

souviendra d'y avoir travaillé, du début à la fin, dans un climat de nervosité et de tension extrêmes.

Au printemps de 1904, Paul Signac invite Matisse à venir passer l'été chez lui à Saint-Tropez. L'artiste accepte l'offre qui lui est ainsi faite. Cinq années d'efforts apparemment sans direction précise vont prendre fin. Il semble que Matisse ait vécu dans l'attente de quelque chose, sachant qu'un événement important allait se produire. Il a besoin de parler, de discuter, et Signac arrive dans sa vie à point nommé.

De six ans l'aîné de Matisse, Signac, dans les années 1880, était juste en âge de comprendre l'importance de l'apport de Georges Seurat et de sa nouvelle technique picturale. Il ne devait jamais oublier la révélation que fut pour lui *la Baignade (pages 42-43)* de Seurat. Le tableau représente un groupe de jeunes ouvriers profitant du beau temps à l'heure du déjeuner, au bord de la Seine, à Asnières. Quelques-uns sont dans l'eau, d'autres sur la rive; dans le lointain se profilent les usines où ils vont bientôt retourner travailler. La scène est des plus familières, mais Seurat l'élève à un niveau épique, à la fois par la grandeur monumentale qu'il confère aux personnages et par l'utilisation d'une nouvelle manière de peindre. Il s'agit de la technique du pointillisme, appelée encore divisionnisme ou néo-impressionnisme, et qui consiste en une touche très particulière et dans un emploi rigoureusement scientifique de la couleur. Chaque couleur est déposée par petites taches en forme de losanges, et doit s'accompagner de sa couleur complémentaire — celle qui la fait ressortir le mieux et lui assure le maximum d'intensité. Seurat élabora cette technique en réaction à ses yeux contre le caractère flottant et indéfini de l'impressionnisme et, durant sa courte vie — il mourut à trente ans d'une maladie inconnue —, il la mit en pratique, créant des œuvres qui comptent parmi les plus grandes et les plus proches de la perfection de l'art européen.

Mais la haute qualité des tableaux de Seurat ne vient pas que du pointillisme. Le jeune artiste, outre une sorte d'intuition sociale géniale, possédait un don de la composition qui ne se rencontre guère plus d'une ou deux fois par siècle. Dans sa toile *Dimanche après-midi dans l'île de la Grande Jatte (page 44)*, dont les personnages appartiennent à tous les milieux, Seurat présente un tableau d'ensemble de la société avec l'assurance d'un Tolstoï ou d'un Balzac. Il connaît et sait mélanger tous les registres de l'art, s'intéressant autant à une affiche qu'à un chef-d'œuvre du Louvre. *La Parade (page 44)*, avec sa double frise de bateleurs et de spectateurs, est une synthèse de ces deux formes d'art. Mais, surtout, Seurat détient, à un degré suprême, le secret de l'image inoubliable. Ses toiles sont remplies de détails qui restent gravés dans la mémoire. On a l'impression de tout connaître des jeunes ouvriers de *la Baignade* et, à travers eux, de connaître de même tous ceux qui sont prisonniers d'une société industrialisée.

Paul Signac avait compris que la mort de Seurat était une perte irréparable, et il sentit qu'il était de son devoir de rendre témoignage de son œuvre.

Sans être lui-même un génie, Signac avait été assez proche de Seurat pour étudier minutieusement sa méthode, et le pointillisme lui apparut de plus en plus nettement comme l'aboutissement d'une évolution qui s'était poursuivie pendant tout le XIXe siècle. Vers 1820, Delacroix s'était mis à fragmenter ses couleurs de telle sorte que, vu de loin, le

André Derain était le fils d'un boulanger-pâtissier aisé qui rêvait pour son fils d'une carrière respectable, celle d'ingénieur de préférence. Le jeune artiste dut faire face à une considérable opposition familiale, jusqu'à ce que Matisse, un jour, parlât en termes si élogieux du talent de Derain et de son avenir de peintre que ses parents finirent par céder.

mélange optique ainsi réalisé acquérait une intensité nouvelle. Plus récemment, les impressionnistes, s'étant rendu compte que les ombres pouvaient se traduire par des couleurs pures en remplacement de la technique négative du clair-obscur, avaient cheminé dans la même voie. La peinture de Seurat conférait à ces diverses expériences chromatiques une valeur scientifique. Elle ne ressemblait en rien à la peinture du passé. C'était une œuvre de patience méticuleuse, qui se refusait aux larges touches inspirées. Et Signac pensait que cette méthode constituait, à tout le moins, une étape de transition vers l'avenir.

Négligeant le fait que nul autre que Seurat n'avait jamais produit un chef-d'œuvre pointilliste, Signac entreprend de se faire le prosélyte de la nouvelle théorie. Il en parle et en discute incessamment et, en 1899, publie sur ce sujet un livre intitulé *De Delacroix au néo-impressionnisme*. C'est un livre plein de foi, qui s'adresse à « ceux qui n'auront pas refait ce qui avait été fait déjà... [et qui auront le périlleux] honneur de produire un mode nouveau, d'exprimer un idéal personnel. » L'optimisme de Signac doit être contagieux, car ce petit traité suscite un vif intérêt et de nombreux commentaires passionnés. Nul doute que Matisse fût au nombre de ses lecteurs, car il se tenait toujours informé de tous les nouveaux courants artistiques, et peut-être cette phrase de conclusion eut-elle pour lui une résonance tout à fait particulière : « Ce coloriste triomphateur n'a plus qu'à paraître, on lui a préparé sa palette. »

En invitant Matisse à Saint-Tropez, Signac médite probablement de gagner à sa cause un élément de poids. En tout cas, la proposition séduit Matisse : les idées de Signac l'intéressent ; il va retrouver la lumière et les couleurs du Midi qui lui ont manqué pendant ce long hiver dans le Nord. De plus, ses soucis d'argent vont s'estomper. Signac a de la fortune ; il est propriétaire d'un villa qui domine la vieille ville de Saint-Tropez et passe pour un yachtman averti, féru de bateaux et de navigation. Par la suite, Matisse se rappellera les incompatibilités qui se firent jour au cours de ces vacances. Il se sentit mal à l'aise au milieu des amis et voisins de Signac qui étaient tous des fanatiques du point et de l'application scientifique de la couleur. Pour lui, qui avait passé tant d'années à l'étude des combinaisons chromatiques les plus subtiles et les plus insolites, une telle servitude paraissait inconcevable et, plus tard, il déclara qu'il ne pouvait vivre « parmi toutes ces tantes de province. »

Cependant, rentré à Paris à l'automne, il va consacrer une grande partie de son temps à l'exécution d'une toile pointilliste, que Signac s'empressera d'acheter lorsqu'il la verra au Salon des Indépendants de 1905. C'est un curieux tableau que *Luxe, calme et volupté (pages 46-47)*. Son titre est une citation d'un poème de Baudelaire, « L'Invitation au Voyage », qui évoque une évasion dans une cité de rêve, où « tout n'est qu'ordre et beauté, luxe, calme et volupté ». Mais les images du poète sont très différentes de celles du peintre ; elles suggèrent une salle de palais à la « splendeur orientale », aux « meubles luisants, polis par les ans », et une ville qui s'endort dans la chaude lumière du soleil couchant reflétée par des canaux où tanguent des navires. Matisse, lui, situe son décor en plein air, au bord d'une crique méditerranéenne, où s'ébattent un groupe de baigneuses nues.

Luxe, calme et volupté semble dériver des « déjeuners sur l'herbe » impressionnistes, mis à part le détail que les dames présentes ont ôté leurs vêtements. La toile rappelle également les compositions de Puvis de Chavannes représentant une île du bonheur imaginaire, où le travail, la maladie et la mort sont inconnus. L'Éden de Matisse, cependant, offre un curieux caractère d'aridité; la végétation y est rare et étique, et les luxes et voluptés de la vie en sont absents; il s'en dégage même une certaine impression générale d'inconfort. Il apparaît clairement ici que Matisse travaille à contre-courant de sa vraie nature. Le pointillisme proscrit les touches de couleur imprévisibles qui caractérisent ses autres paysages de la même période, où souvent il place la couleur avec la belle assurance d'un champion de tennis qui envoie ses balles à l'endroit où on les attend le moins.

Le pointillisme proscrit également, dans le modelé, la recherche passionnée de la vérité à tout prix, à laquelle il s'est tant attaché dans ses nus d'atelier de l'hiver de 1900-1901. Ce travail de modelé est impossible quand, tous les centimètres, le pinceau doit interrompre puis reprendre son mouvement. Dans *Luxe, calme et volupté*, les volumes des corps sont indiqués par un procédé différent, fondé sur la ligne onduleuse et décorative du Modern Style, ou Art nouveau. C'est une ligne fort en vogue à l'époque, qui se retrouve, aussi bien sur les lampadaires, les encriers, les cendriers et les stations de métro que dans la silhouette des actrices célèbres illustrant les couvertures de programmes. Mais cette ligne n'est pas dans le tempérament de Matisse, et l'effort de l'artiste est visible.

Dans *Luxe, calme et volupté*, on assiste à la première et dernière tentative de composition de Matisse à la manière de Seurat. Ce dernier imposait sa vision à la nature, s'efforçant de la soumettre à ses nécessités personnelles. S'il voulait que des drapeaux flottent dans une certaine direction, il ne se souciait nullement de celle du vent; s'il désirait gréer les voiles d'un bateau d'une certaine façon, peu lui importait qu'un tel bateau n'eût jamais pu prendre la mer; s'il souhaitait qu'une ligne de nuages corresponde à la ligne d'un chemin au flanc d'une falaise, il ne consultait pas la météorologie. Seurat, d'ailleurs, aimait à introduire dans ses tableaux ce genre de correspondances ou d'échos. Ainsi, dans *le Cirque*, le fouet du maître de manège suit exactement la même courbe sinueuse que le corps arqué de l'acrobate; dans *le Chahut*, au bras levé du chef d'orchestre répond le mouvement des jupes haut troussées des danseuses; dans *Jeune femme se poudrant*, le détail sculpté du pied de la table se répète dans la bordure festonnée du corsage que porte le modèle.

A partir de ces artifices de couleur, de technique et de composition, Seurat parvient à créer des scènes qui sont tout à la fois infidèles à la nature et intrinsèquement fidèles à la vie. Tous les jardins publics, les dimanches d'été, ont l'atmosphère de *l'Ile de la Grande Jatte*. Matisse, qui ne renonce jamais à un projet, s'est efforcé de faire la même chose. Mais, plus il s'y applique — et l'on suit les étapes de *Luxe, calme et volupté* depuis l'ébauche à l'huile jusqu'à la version définitive — et plus il s'éloigne de la crédibilité. La toile remporta un vif succès au Salon, et il se peut qu'elle ait converti au pointillisme plus de jeunes peintres que n'y parvint le livre de Signac. Mais, pour Matisse, le pointillisme est une fausse piste. A l'été de 1905, Derain se trouvant libéré du service militaire, les deux amis se retrouvent dans le petit village de pêcheurs de Collioure, où Matisse revient au genre de peinture qui, avant peu, fera de lui une des figures de proue de l'art européen.

L'art deviendrait-il une science?

Au cours de la seconde moitié du XIXᵉ siècle, Darwin et Wallace ont énoncé la théorie de l'évolution, Pasteur a démontré l'origine bactérienne des maladies et Edison a fait jaillir la lumière électrique. Ces progrès de la science incitent un jeune artiste, Georges Seurat, à tenter d'obtenir par la logique le résultat que ses prédécesseurs, les impressionnistes, avaient atteint par l'instinct et l'émotion : la traduction, en peinture, de la pureté des couleurs de la nature; il veut ainsi substituer à la subjectivité impressionniste le constat objectif de la réalité. Les théories des physiciens et des chimistes l'amènent à élaborer le divisionnisme, ou pointillisme, système consistant à couvrir la toile d'une infinité de petits points de couleurs pures, complémentaires — comme le rouge et le vert, par exemple. Il ne mélange pas plus les pigments sur sa palette qu'il ne les combine au pinceau sur la toile, car il croit que de petites touches juxtaposées, de la même taille, se recomposeront toutes seules sous le regard du spectateur pour reproduire la gamme des couleurs naturelles. Par la suite, Seurat précisera encore le caractère scientifique de sa méthode en l'enrichissant de principes géométriques. Le pointillisme, cette tentative de systématisation de la peinture, séduit un autre jeune artiste, Paul Signac, qui entreprend d'en formuler et d'en publier les règles. En 1904, treize ans après la mort de Seurat, Signac initie Matisse au pointillisme. Méthodiquement, Matisse l'expérimente, mais il s'en détournera bientôt, trop imaginatif pour se laisser dicter par des lois sa conception des rapports entre les couleurs.

Dans cette lithographie conçue pour la publicité du Théâtre-Libre (d'où les lettres « T-L », Signac fait la démonstration) du pointillisme. Le corps des lettres et la double bordure se composent de segments de couleur pure disposés selon l'ordre du «cercle chromatique» de Charles Henry, esthéticien et mathématicien dont les théories sur les contrastes simultanés des couleurs et leur harmonie ont influencé les pointillistes. L'image circulaire centrale, composée de points, illustre une autre des théories de Henry sur les interactions des couleurs : la chevelure du spectateur change de couleur suivant qu'elle se détache sur l'arrière-plan de la scène, sur les lumières de la rampe ou encore sur son propre cou.

Paul Signac : *Application du Cercle chromatique de Mr. Ch. Henry,* 1888-1889

Application du Cercle Chromatique de M^r Ch. Henry.

P. Signac

Georges Seurat, qui expose dans cette toile monumentale quelques-unes de ses théories, était un jeune homme timide, désireux de promouvoir une révolution picturale. Il ne lui aurait pas déplu de déclencher également une révolution sociale, car le cercle de ses amis comptait des artistes et des écrivains d'opinions extrémistes. Il ne discutait jamais de politique, mais ce tableau, si universellement admiré sur le plan purement artistique, trahit ses préférences. Ainsi, les petits personnages embarqués sur le bateau battant pavillon français pourraient représenter l'idée que se fait Seurat du gouvernement : comme lui, ils tournent le dos aux ouvriers qui, sur la rive, essaient de trouver quelque délassement.

Cette œuvre, que Seurat ait voulu ou non la charger d'un message, atteste son génie de la couleur et de la composition. La technique de la touche pointilliste n'y est pas encore pleinement développée, mais le souci de la précision dans l'application de la couleur est évident. L'admirable distribution des figures oblige le regard à embrasser la toile dans toute sa largeur, puis dans sa profondeur, et la lumière y équilibre l'ombre en une subtile harmonie. A la vue de ce tableau, Signac se sentit en présence d'un chef-d'œuvre, et il voua le reste de sa vie à mieux faire connaître et apprécier du public l'art de Seurat et sa remarquable technique.

Georges Seurat : *la Baignade*, 1883-1884

Si les tableaux de Seurat *(ci-dessous)* apparaissent plus poétiques que scientifiques, ils n'en illustrent pas moins les spéculations du pointillisme quant à la couleur et à la ligne. Le tableau supérieur, large d'un peu plus de 3 m, est criblé de touches dont Seurat a méticuleusement sélectionné les couleurs sur un diagramme établi d'après les principes formulés par le chimiste Eugène Chevreul. Quant au tableau du bas, sa puissance émotive procède de la géométrie autant que du génie. Les horizontales et les verticales s'y composent en vertu des théories de Charles Henry, selon lesquelles certaines combinaisons linéaires engendrent chez le spectateur des émotions spécifiques : une

Georges Seurat : *Un dimanche d'été à la Grande Jatte,* 1884-1886

Georges Seurat : *la Parade,* 1887-1888

horizontale et des verticales descendantes suggérant la tristesse; une horizontale et des verticales ascendantes, suggérant la gaieté. Ce sont également les hypothèses d'Henry qui ont présidé à l'exécution du vigoureux et spirituel portrait ci-dessous, peint par Signac. Le décor géométrique du fond, avec ses fleurs, ses cercles, ses vagues et ses volutes, englobe toute la gamme des éléments générateurs d'émotion prétendument réduits en équations par Henry.

Le portrait est celui de Félix Fénéon, écrivain et critique influent, qui devint l'ami intime des principaux artistes pointillistes, dont il se fit d'ailleurs, pendant de nombreuses années, le porte-parole dévoué.

Paul Signac : *Portrait de Félix Fénéon sur l'émail d'un fond rythmique de mesures et d'angles, de tons et de teintes*, 1890

L'une des nombreuses raisons qui déterminent Matisse à abandonner le pointillisme l'année même où il l'adopte est cette technique de touche par petits points, que Signac et ses amis estiment être la seule manière rationnelle d'appliquer la couleur sur la toile. Ce procédé présente d'ailleurs au moins deux avantages : le premier, d'ordre pratique, est que ces minuscules taches de couleur pure, avec un recul approprié, se recomposent en des sensations optiques de formes distinctes et de vibrations chromatiques très étendues (regarder cette illustration de près, puis à une distance de quelques mètres); le second, d'ordre moins pragmatique, est que ce mode d'exécution impersonnel et presque mécanique doit, selon les pointillistes, sauvegarder l'intégrité scientifique de l'œuvre. Aucun de ces arguments ne convainc vraiment Matisse. Il s'efforce de s'adapter à cette méthode, mais s'aperçoit vite qu'il n'arrive pas plus à contraindre son pinceau à l'observance des lois énoncées du mélange optique qu'à emprisonner son sens de la couleur dans le carcan de postulats « scientifiques ». A l'automne de 1904, au retour de vacances passées dans le Midi chez Signac, il s'approche autant qu'il lui est possible du pointillisme orthodoxe en exécutant la toile ci-contre. Mais il se sent constamment gêné par cette technique de travail et ne sera jamais satisfait de l'œuvre terminée, malgré le climat qu'il a réussi à y créer. Peu après l'avoir exposée (Signac l'achète aussitôt), il retourne à ses recherches personnelles de style. Mais il pourra rester toute sa vie reconnaissant au pointillisme de l'avoir aidé, par son exemple d'effort de renouvellement, à se libérer de la tradition. Seul désormais, il va s'engager dans la voie d'une exploration approfondie de la couleur.

COLLECTION PRIVÉE, PARIS

Luxe, calme et volupté, 1904-1905

III

Lâché au milieu des « fauves »

Au printemps de 1905, à l'âge de trente-cinq ans, Matisse n'a pas encore produit une œuvre dont on puisse dire sans équivoque possible : « Voilà un Matisse qui ne doit rien à personne. » Certes, il a peint de nombreuses et très belles toiles, mais toujours dans un style apparenté à quelque autre artiste. Son rôle, jusqu'à présent, a été celui d'un exécuteur testamentaire, liquidant scrupuleusement la succession de ses précédesseurs : celle de Cézanne, celle des impressionnistes, celle de Seurat et de ses amis. Seul, il ne s'est pas encore aventuré très loin. Mais, au cours des années qui vont suivre, tout va changer. Au printemps de 1908, devenu un artiste de renom international, il dirigera une école, se verra entouré de disciples nombreux et admiratifs et aura signé des toiles qui comptent aujourd'hui parmi les grandes œuvres du XXe siècle.

Le début de cette ascension remonte à ce jour d'été de 1905, où Matisse, accompagné de son ami André Derain quittent Paris pour le petit village de pêcheurs de Collioure, près de la frontière espagnole, où Mme Matisse est allée opérer une reconnaissance l'automne précédent. Avec son port animé de bateaux à voiles, ses tours de guet, ses fortifications du XVIIe siècle, ses maisons badigeonnées de rouge, de jaune et de bleu, Collioure pourrait être affecté d'un pittoresque irrémédiable, mais il en est sauvé par l'austérité virile et la rigueur fonctionnelle de ses remparts et de son fort. Lorsque Signac avait peint Collioure en 1887, il avait bien saisi le caractère de ce petit port méditerranéen à la carrure de docker. A présent, dix-huit ans plus tard, Matisse et Derain vont trouver là un cadre propice à la recherche d'un style pictural audacieux et nouveau.

En même temps, ils apprennent à mieux se connaître. Matisse découvre que Derain manie les idées avec aisance et peut discuter de musique, de théâtre ou de philosophie aussi facilement que — pour la centième fois — de la nature de la peinture nouvelle. Quant à Derain, il écrit au sujet de Matisse : « C'est un type beaucoup plus extraordinaire que je ne l'aurais cru, au point de vue de la logique et des spéculations psychologiques. » Les deux hommes sont pourtant de tempéraments très opposés : Derain est un être impulsif, Matisse un être réfléchi. Leurs bagages à peine défaits, Derain écrit à Vlaminck pour lui annoncer un changement total de sa manière; Matisse, lui,

Le caractère arbitraire du coloris de Matisse exaspère les amateurs d'art parisiens, lorsque ce portrait de la femme de l'artiste est exposé pour la première fois au Salon d'Automne de 1905. L'hostilité qu'il soulève est si violente que Matisse, après sa première visite au Salon, n'osera plus y retourner.

La Femme au chapeau, Mme *Matisse,* 1905

continue avec obstination à se débattre avec le pointillisme de Seurat qui, à ce moment, obsède la peinture française. Derain, comme Matisse, s'y est essayé ; mais le seul fait de procéder par petites touches indéfiniment répétées est contraire aux tendances instinctives de ces deux artistes qui manient le pinceau avec beaucoup plus de liberté. Pour Matisse, il existe en outre une objection insurmontable : vue de loin, la juxtaposition de ces points de couleur pure se dégrade en demi-tons.

Par un heureux hasard, Derain et Matisse sont amenés un jour à faire la connaissance d'un autre peintre, Daniel de Monfreid, qui, jadis ami intime de Gauguin, est en possession de nombreuses toiles tahitiennes de ce dernier. Matisse avait découvert Gauguin depuis longtemps ; il avait même acheté un portrait de sa main à Ambroise Vollard. Mais, à ce moment capital de sa carrière, il trouve en quelque sorte Gauguin à ses côtés pour lui dispenser les encouragements dont il a besoin et lui faire comprendre que la couleur — peu importe ce qu'elle est en réalité — est avant tout ce que l'on ressent. Grâce à Gauguin, il lui apparaît aussi que l'art ne peut atteindre à la grandeur si les forces mises en présence sur la toile se neutralisent — comme c'est le cas pour les touches de couleur pure de Seurat.

Matisse quitte Daniel de Monfreid, déterminé à donner un sens à la célèbre prédiction de Signac : « Ce coloriste triomphateur n'a plus qu'à paraître, on lui a préparé sa palette. » Au lieu d'appliquer la couleur en petits points bien disciplinés, il la laisse s'étaler sur la toile suivant les nécessités internes de la composition. Dans une étude bien connue de cette période, *Paysage à Collioure*, les troncs d'arbre sont indiqués par des lignes sinueuses, tantôt brisées, tantôt continues. Leurs couleurs, si l'on examine la peinture de gauche à droite, sont, selon Alfred Barr, « ... bleu-vert, marron, bleu vif, vert-jaune, écarlate et pourpre, vert foncé et violet et, à droite, outremer. Ils se détachent sur un fond tacheté de bleu, d'orange, d'ocre et de vert d'eau, et portent un feuillage vermillon, vert et lavande. Seuls, la mer au loin et le ciel conservent leurs couleurs naturelles. »

Ce pourrait être un barbouillage. C'est loin d'en être un. Si Matisse ignore délibérément les couleurs de la nature, son sens personnel de la couleur est sans faille. Chaque touche, si arbitraire soit-elle, se

Le Pêcheur, ce croquis à la plume d'une plage méditerranéenne, a été tracé par Matisse en 1905, au cours des vacances qu'il passa cet été-là, en compagnie de Derain, dans le petit port de Collioure. Derain est le nageur que l'on aperçoit dans un joyeux remous au milieu de la crique, sous le nez d'un pêcheur à la ligne. Au cours des nombreux mois d'été qu'il passa à Collioure, Matisse exécuta quantité de peintures et de dessins, et il fit cadeau de cet amusant croquis à son généreux client, le Russe Chtchoukine.

trouve en rapport nécessaire avec toutes les autres. Sans doute la qualité particulière de la lumière de Collioure l'a-t-elle aidé. Bien différente de la lumière aux ombres profondes du Nord de la France, celle de la Catalogne, intense, blonde, souveraine, baigne toute chose d'une sorte de halo diffus. Pour en capter la qualité, Matisse a laissé paraître, en certains endroits, le blanc pur de la toile qui, tout à la fois, évoque l'aveuglante lumière solaire et contribue à équilibrer la force des couleurs.

De retour à Paris, à l'automne, Matisse applique sa nouvelle conception de la couleur à un portrait de Mme Matisse, qui va devenir l'une des plus célèbres toiles du siècle, *la Femme au chapeau (page 48)*. D'un certain point de vue, cette œuvre répond à toutes les normes du portrait bourgeois de l'époque. Matisse reproduit la même pose, le même chapeau extravagant, la même expression d'ennui distingué qui caractérisent la plupart des portraits du Salon. Mais il traite le visage de *la Femme au chapeau* exactement comme le paysage de Collioure, en réinventant à son gré toute une structure chromatique. Une large raie verte barre le front, une autre suit l'arête du nez; l'une des joues est d'un vert jaunâtre, l'autre rouge et rose. Mais l'ensemble de ces taches colorées sans rapport avec le réel compose un portrait plus vrai que bien des portraits naturalistes. La virtuosité du coloris n'est pas seulement décorative; elle obéit moins encore à une théorie préétablie : elle correspond au sens que l'artiste veut donner à son œuvre et crée cette atmosphère d'élégance cérémonieuse inséparable de ces portraits mondains.

La Femme au chapeau est un véritable portrait, mais le public parisien de 1905 en juge tout autrement. Lorsque le tableau est exposé au Salon d'Automne de cette année, avec quatre autres toiles de Matisse, il provoque un scandale. On ne se contente pas de le trouver mauvais ou incompréhensible, on le ressent comme une insolence préméditée. Il viole, en effet, non seulement l'apparence physique du modèle, mais l'idée même qu'on se fait alors de la féminité. Les visiteurs s'estiment outragés par ce peintre qui devrait normalement solliciter leurs faveurs chapeau bas. Les artistes, en ce début de siècle, sont regardés presque comme des fonctionnaires. Le peintre qui remplit ses obligations annuelles au Salon et s'emploie à flatter le goût du public peut espérer jouir de la considération indéfectible dont on honore les personnalités ecclésiastiques ou militaires. C'est au Salon que se font ou se défont les réputations; l'épreuve de l'opinion est un fait accepté, et la désapprobation publique a la dent dure.

Il se trouve que *la Femme au chapeau* n'est pas le seul tableau qui transgresse les respectables conventions du Salon. Au cours de l'été précédent, un certain nombre d'autres peintres se sont hasardés, soit en groupes, soit isolément, à des utilisations agressives de la couleur. Parmi eux se trouvent Vlaminck, l'ami de Derain, Henri Manguin, Charles Camoin, et l'ancien camarade d'atelier de Matisse, Albert Marquet. De son côté, Rouault, coloriste moins révolutionnaire, désoriente le public par le choix féroce de ses sujets — portraits grotesques de gens du cirque et du demi-monde. Il n'y a chez ces artistes aucune volonté concertée de *putsch*, mais les organisateurs du Salon, en groupant tous leurs envois dans une même salle, en créent l'impression. Et l'exécration des visiteurs pour la Salle VII atteint un degré tel que l'existence du mouvement, en tant que tel, s'entoure d'une sorte de légende.

L'origine du nom de fauvisme donné à ce mouvement tient à un incident souvent raconté — et tout aussi souvent contesté. Il y avait dans la Salle VII une statuette de Cupidon en bronze dans le goût de la Renaissance, œuvre d'un émule de Donatello dont on a aujourd'hui oublié le nom. En entrant dans la salle, le critique Louis Vauxcelles, frappé par la présence insolite de la statuette au milieu de ces toiles, se serait écrié : « Donatello parmi les fauves! » Le nom resta et en vint à désigner, non seulement les peintres de la Salle VII, mais tous les artistes — Braque et Dufy entre autres — ralliés à cette libération effrénée de la couleur. Matisse, leur aîné et de tous le plus vilipendé, est promu chef de file. En l'espace d'un mois ou deux, son don d'expression à la fois mesuré et résolu a fait de lui, presque à son corps défendant, le représentant accrédité d'un nouveau style pictural.

La formule de Derain, « la couleur pour la couleur », est le mot de passe des fauves. Leurs toiles sont autant d'invites charmantes à partager leur joie de vivre. A Paris où, malgré la tempête soulevée par le fauvisme, l'art reste inséparable de l'idée d'agrément, cette notion de peinture et de jouissance sera bien accueillie. Mais, en d'autres pays, se manifestent bientôt des artistes plus sérieux, pour qui la peinture n'est pas seulement un passe-temps raffiné. « De la couleur, pour l'amour du Ciel! » est plutôt la formule à laquelle souscriraient ceux d'entre eux qui voient en elle un moyen d'intensifier la communion mystique de l'homme avec l'univers, tandis que la formule : « De la couleur, par pitié! » répondrait mieux aux aspirations de ceux qui s'en servent pour éveiller la société à la conscience de ses égarements. Le message de ces artistes ne se traduit pas par une explosion de joie, mais par un cri de protestation et de douleur. Ce cri résonne longuement, avant 1914, dans la musique, la littérature et la peinture des pays d'Europe centrale. C'est le cri d'hommes qui se sentent dépossédés des biens qui devraient légitimement leur revenir.

En peinture, le grand initiateur de ce mouvement qu'on devait appeler expressionnisme est l'artiste norvégien Edvard Munch. Celui-ci, de six ans l'aîné de Matisse, avait grandi dans un monde bien différent : à Oslo, des propos non conformistes suffisaient à vous envoyer en prison. En 1886, par exemple, l'écrivain Hans Jaeger avait été incarcéré à la suite de la publication de son roman autobiographique, qui osait admettre l'existence de l'instinct sexuel. Spirituellement, Munch est très proche des dramaturges Henrik Ibsen et August Strindberg. Ce dernier voit d'ailleurs en Munch « le peintre ésotérique de l'amour, de la jalousie, de la mort et de la tristesse. » Tous considèrent la société établie comme foncièrement mauvaise : l'humanité est pervertie par les exigences de la société qui n'hésite pas à punir implacablement ceux qui s'efforcent de s'y soustraire.

Comparé au monde insouciant des impressionnistes — ce monde où chacun fait bonne chère au cours de déjeuners sur l'herbe, trouve une partenaire au bal, jouit d'un vent favorable pour faire du canotage sur des eaux calmes qui n'ont jamais donné la nausée à personne —, l'univers de Munch n'a rien de plaisant. Chez lui, l'amour physique est condamné d'avance par la trahison ou l'impuissance; la maladie et la mort sont embusquées derrière la beauté intacte des jolies filles, et des lendemains misérables sanctionnent les soirs de fête. Il ne peut peindre une foule sans donner l'impression qu'elle risque, à tout moment, d'être écrasée par une charge de cavalerie; ni une scène d'amour sans évoquer, auprès des amants, le fantôme de la rupture; ni même un personnage seul dans une pièce sans qu'il s'y mêle une idée d'abandon. Telle est la vie qu'il observe autour de lui, tel est aussi le fruit de sa propre expérience. Son existence ne sera qu'une longue suite de moments solitaires, de périodes de vagabondage et d'états dépressifs.

En 1893, alors que Matisse est encore étudiant dans l'atelier de Gustave Moreau, Munch peint *le Cri*, cette grande œuvre qui préfigure le mal du XXᵉ siècle, *l'angst*, angoisse indéfinie qui empoisonne les sources de la vie intérieure. Le tableau représente un personnage de mauvais rêve qui court le long d'une jetée au devant du spectateur; sa bouche et sa tête, la mer au loin, les nuages et l'horizon, tout est si déformé que c'est la nature tout entière qui semble pousser ce hurlement de torture et de panique. La couleur est ici au service de la pensée tourmentée de l'artiste : « Sur le fjord bleu-noir pèsent des nuages rouges comme du sang, rouges comme des langues de feu », écrira Munch au sujet de cette toile... « Seul et tremblant d'angoisse, je pris conscience du cri vaste et infini de la nature. »

En 1895, deux ans après qu'il eut peint *le Cri*, l'artiste norvégien Edvard Munch donna une interprétation linéaire de son tableau dans la lithographie ci-dessus. Les échos du cri semblent s'y répercuter à travers le ciel en ondes schématiques. Profondément sensibilisés aux problèmes sociaux, à l'aliénation de l'individu et à l'angoisse de la vie moderne, Munch et d'autres peintres de l'Europe du Nord ont traduit leurs préoccupations dans un style connu sous le nom d'expressionnisme.

Au tournant du siècle, ce cri se répercute dans toute l'Europe. Les hommes sentent d'instinct que des années terribles approchent et qu'ils sont impuissants devant la menace. Les malheurs individuels semblent le présage symbolique du grand désastre collectif imminent qui va détruire à jamais une certaine manière de vivre. Des tabous, intangibles depuis des générations, s'effondrent; les « piliers de la société » se voient raillés et qualifiés d'hypocrisies, et la seule notion d'autorité a quelque chose d'insultant pour les hommes libres. Dans tous les pays, des armées immenses se rassemblent, et la préparation d'armements perfectionnés annonce d'épouvantables conflits dont le déchaînement ne saurait être retardé bien longtemps. Des grèves, des assassinats, des soulèvements, des scandales politiques comme l'affaire Dreyfus, des complots contre des régimes fossilisés — tout indique le délabrement d'une société divisée contre elle-même : chrétien contre juif, riche contre pauvre, libre penseur contre croyant, vieux contre jeune, militaire contre civil. Il s'en faut de peu que Gauguin, qui meurt en 1903, n'assiste, dans tous les domaines, au bouleversement qu'il souhaitait dans celui de l'art et à propos duquel il pensait qu'il fallait casser toutes les vieilles vitres, même au risque d'être blessé par les éclats de verre.

Pour nombre de jeunes artistes, cette évasion du passé n'est pas aisée; elle leur est particulièrement difficile en Allemagne, où la machine militaire s'apprête déjà au meurtre. Les dirigeants allemands estiment, à juste titre, qu'un art fondé sur le principe de la remise en question peut s'avérer gênant d'une façon générale, et ils font de leur mieux pour étouffer toute indépendance artistique. C'est ainsi que le directeur du musée de Berlin, coupable d'avoir acquis trop de toiles modernes françaises, est révoqué. Dans un tel climat, liberté et violence d'expression se confondent, et l'homme libre devient, par définition, un homme traqué — situation que la plupart des artistes allemands sont incapables d'assumer.

La peinture tient un rang éminent dans la vie nationale, mais il s'agit d'une peinture anecdotique. Le public allemand raffole de scènes représentant des pêcheurs bien propres raccommodant leurs filets, des militaires régalant d'un verre de bière des bonnes d'enfants, des préparatifs de première communion, d'agneaux folâtrant au printemps dans un paysage tyrolien. Pour trouver des aliments spirituels plus substantiels et satisfaire ce que l'historien d'art Wilhelm Worringer appelle « la vie intérieure lourdement opprimée de l'humanité septentrionale », les Allemands recourent à la poésie, au roman, au théâtre et à l'opéra. La peinture doit être la complice de la société, et celle-ci ne permet pas aux peintres de l'oublier. Il en résulte une forme d'art qu'un jeune idéaliste nommé Ernst Ludwig Kirchner, après avoir visité une exposition à Munich en 1900, apprécie en ces termes : « Les toiles sont aussi déprimantes que l'indifférence du public. Dehors, la vie coule à flots, pleine de couleurs, de soleil et de joie, alors qu'à l'intérieur, la vie semble figée sur ces barbouillages incolores et statiques. Pourquoi ces dignes messieurs ne peignent-ils pas la vie réelle ? »

Cinq ans plus tard, Kirchner et trois de ses amis — Erich Heckel, Karl Schmidt-Rottluff et Fritz Bleyl — décident de remédier à cet état de choses. Kirchner, qui étudie alors l'architecture à Dresde, est le seul à posséder une véritable formation artistique. Néanmoins, les quatre jeunes gens fondent une association qu'ils appellent *Die Brücke* (le Pont) et se donnent à cœur de sauver l'art allemand. Dresde, à cette époque, est l'une des plus belles villes du monde et un centre culturel actif, mais d'une culture qui n'admet pas d'être troublée. On ne condamne donc pas Kirchner et ses amis : on les ignore. Ils travaillent dans les boutiques vides de ruelles à l'écart, prennent leurs amies pour modèles et n'ont d'autre soutien qu'une poignée de sympathisants. Leur art s'inspire en partie de Van Gogh, dont l'œuvre a été exposée à Dresde en 1905, et en partie des cultures africaines et polynésiennes, dont le musée ethnographique de la ville conserve quelques magnifiques objets. Dédaigneux de toutes les conventions artistiques en vigueur, ils organiseront leur première manifestation en banlieue, dans la salle d'exposition d'une fabrique de lampes.

Die Brücke a foi, non seulement dans un nouvel art, mais dans une société nouvelle, où la loyauté et la franchise présideraient aux relations humaines, où la peinture de la réalité sociale n'admettrait pas de compromis, où l'on ferait une totale confiance aux jeunes plutôt qu'en leurs aînés titrés et médaillés. « Nous ne voulons pas de l'art pour l'art, écrit l'un de ses porte-parole Iwan Goll; nous voulons l'art pour le peuple. » Utilisant la même palette de couleurs pures que Matisse, ils aboutissent à un résultat totalement différent. Alors que Matisse évoque le bien-être et la joie de vivre, eux cherchent le scandale et la provocation. Ils peignent sans ménagements des modèles demi-nus dans des attitudes gauches — attachant une jarretière ou vautrés sur un lit — dont le spectateur semble violer l'intimité. Les groupes de nus en plein air sont des individus identifiables qui paraissent s'être déshabillés en public et s'apprêter à commettre des actes plus outrageants encore pour la morale. Les indigènes nus des mers du Sud peints par Gauguin appartiennent à une civilisation lointaine et révolue, tandis que les nus de *Die Brücke* sont des citoyens allemands dévêtus, dans le décor d'une Germanie conservatrice.

De cet acte de sabotage social, la couleur est, une fois de plus, la grande exécutrice. *Die Brücke* la veut haute et stridente, aussi agressive que les sujets choisis. « Dieu nous garde ! De mauvais jours se préparent ! » se serait exclamé Edvard Munch, après avoir examiné une série de lithographies des jeunes novateurs. Lorsqu'il peint entièrement en bleu le corps d'une de ses amies allongée à plat ventre, Kirchner semble illustrer l'un des préceptes émis par Nietzsche, l'un des auteurs favoris du mouvement : « Tout homme qui aspire à faire œuvre de créateur doit commencer par briser et détruire toutes les valeurs sociales. »

Pourtant, la violence chromatique n'a rien en soi de subversif. Delacroix, dans son journal, observe que le jaune, l'orange et le rouge s'associent généralement à des impressions de joie et d'abondance. Et, bien que l'Europe du XIXᵉ siècle manifeste en général un goût marqué pour les tableaux narratifs traités dans les brun-rouge et les vert-épinard, il est encore des peuples — les Russes, en particulier — dont le sens de la couleur s'exerce sur des gammes plus vives. Chez eux, les subtilités de la nuance, chères aux Occidentaux, n'ont pas cours. Cinq minutes de promenade à travers le Kremlin suffisent à donner au visiteur la révélation d'un sens de la couleur spontané et vigoureux, qui se donne libre cours aussi bien à l'intérieur des bâtiments qu'à l'extérieur, avec une liberté et une hardiesse extraordinaires. Tôt ou tard, les artistes russes, adonnés à l'imitation consciencieuse des tonalités assourdies de la peinture italienne et française tradi- tionnelle, devaient se rendre compte que, dans cette conception ancestrale de la couleur, résidait le secret de leur force.

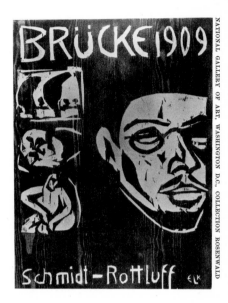

Le premier artiste russe à le comprendre est Vassili Kandinsky. Il est venu à la peinture plus tardivement encore que Matisse puisque, jusqu'à la trentaine, il se destinait à une carrière juridique. Ce n'est qu'en 1896, alors qu'on lui offre une chaire dans une université de province, qu'il se détermine à se consacrer à l'art, refuse ce poste académique et part pour Munich afin d'y étudier la peinture. En dépit de ce changement radical d'orientation, Kandinsky gardera, toute sa vie, l'aspect et le comportement d'un homme de loi. Sa mise est sobre et correcte, son atelier aussi impeccablement tenu qu'une salle d'opé- ration. Homme de vaste culture, il discute avec autorité des sujets les plus divers — musique, anthropologie, sciences naturelles, religions comparées, littérature en plusieurs langues et théâtre.

Dès 1889, au cours d'un voyage qu'il faisait en province pour se documenter sur le droit coutumier paysan, Kandinsky avait été frappé par le sens inné de la couleur pure que lui révélait l'art populaire russe. Maisons, costumes, meubles, objets — toute chose témoignait d'une telle richesse décorative qu'elle semblait exploser de couleur. Quand il se met à peindre lui-même, il puise dans ces traditions folkloriques. L'un de ses premiers tableaux, *la Vie multicolore (page 67)*, où il évoque la Russie médiévale, révèle son intention de jouer de la couleur avec la liberté, la vigueur et la pureté caractéristiques de l'art populaire. Il assigne également certaines significations aux couleurs — et cela aussi est bien dans l'esprit de la Vieille Russie qui, par exemple, qualifie de « note framboise » le tintement des grelots portés par les chevaux. Ainsi, pour Kandinsky, le rouge correspond à la « puissance résolue », le jaune à l'agressivité incontrô- lable, tandis que le « vert absolu » est éminemment reposant; le blanc est le symbole du silence — le silence du vide qui attend d'être comblé — et le noir évoque un autre silence, implacable et définitif.

A la différence des membres de *Die Brücke*, qui livrent un combat national et restent passablement isolés dans un milieu hostile, Kan- dinsky voyage beaucoup et mène une existence cosmopolite. Il est aussi à l'aise à Paris ou à Munich que dans sa Russie natale et n'ignore rien de ce qui se passe dans le monde international de l'art. Ce même

Cette xylographie de Ernst Ludwig Kirchner, l'un des fondateurs du mouvement artistique de Dresde appelé *Die Brücke* (le Pont), fut gravée en 1909 pour servir de couverture à un album contenant des lithographies et une eau-forte de Karl Schmidt-Rottluff, cofondateur du groupe. En 1906, un an après la formation du mouvement, Schmidt-Rottluff formula son objectif : « Regrouper tous les éléments et les ferments révolutionnaires, tel est le but qu'implique le nom de *Die Brücke*.

sens original de la couleur qui le différencie des autres peintres contribuera finalement à l'acheminer vers l'abstraction. Vers 1908, Kandinsky découvre par pur hasard que la couleur agit indépendamment de l'objet auquel elle se trouve associée. Rentrant un soir dans son atelier de Munich, l'artiste s'est trouvé en présence d'une toile récemment achevée; pendant un moment, dans la pénombre, les couleurs se sont mises à vivre par elles-mêmes avec une telle intensité que le sujet n'avait plus aucune importance et que l'effet produit n'en était même que plus saisissant. Il a déduit de cette expérience qu'il devrait être possible de se dispenser entièrement du sujet, et qu'il en résulterait, non une perte, mais un enrichissement.

Il lui faudra cependant plusieurs années pour résoudre ce problème. Jusqu'à présent, il avait utilisé la couleur de façon logique et descriptive, pour rehausser l'impression produite par telle ou telle scène — l'apparat médiéval, par exemple, ou l'éclat du soleil africain. Désormais, la couleur lui sert à exprimer ses propres états d'esprit. Au lieu de choisir le contenu de ses toiles, il demeure en retrait et laisse au contraire ce contenu s'imposer à lui, accueillant délibérément les suggestions imagées qui montent de son inconscient. Ainsi naissent des combinaisons de formes et de couleurs qui déclencheront chez le spectateur des réactions logiques et prévisibles, étant donné que, pour Kandinsky, toute forme et toute couleur sont chargées d'une signification spécifique.

COLLECTION NINA KANDINSKY, NEUILLY-SUR-SEINE

Cette aquarelle totalement non figurative de Vassili Kandinsky marque, en 1910, la naissance de la peinture abstraite pure. En conséquence logique de sa théorie, selon laquelle l'art doit établir une communication directe entre le peintre et le spectateur, sans s'encombrer du langage préconçu de l'image, Kandinsky a laissé sans titre cette aquarelle qui fait date dans l'art moderne.

S'il arrive parfois que ces formes et ces couleurs soient révélatrices du monde extérieur aussi bien que de l'inconscient de l'artiste, Kandinsky n'y prend garde pas plus qu'il ne les ignore. A propos des canons qui figurent dans *Improvisation n° 30, Canons (1913)*, il écrit lui-même : « La présence de canons sur la toile pourrait sans doute s'expliquer par les propos que l'on a tenus sur la guerre toute l'année durant. Mais il n'était pas dans mon intention de représenter la guerre. » En dépit d'un certain mysticisme, Kandinsky ne se désintéresse nullement des affaires mondiales et, comme tout Européen intelligent, il pressent la catastrophe. Canons, églises volant en éclats, fragments épars de paysages sont les symboles prémonitoires d'un monde en dissolution. Toutefois, la peinture elle-même, en tant que composition, est d'un parfait équilibre : l'artiste se souviendra qu'au cours de son travail il s'est donné des ordres à haute voix : « Mais ces angles doivent être grossiers! » Et, en effet, la toile semble aussi fermement arrimée aux angles qu'un chapiteau de cirque. En outre, le jeu de la couleur contribue à cette impression d'absolue stabilité, et elle suscite la vision d'un autre monde, bien au-delà des médiocres préoccupations humaines, et qui saura leur survivre.

Selon Kandinsky, il appartient à l'artiste de parler de mystère en termes de mystère et d'aider les âmes souffrantes, inquiètes et tourmentées à découvrir leurs liens communs avec la nature animée et inanimée. Nous sommes loin du réalisme social de *Die Brücke*, et plus loin encore des conceptions artistiques de Matisse. Aux yeux de celui-ci, l'idéal de Kandinsky devait sembler de la pure démence — et la volonté de *Die Brücke* de transformer la société n'éveillait sans doute guère chez lui plus de sympathie. Cependant, chose curieuse, c'est l'autorité de Matisse qu'invoqueront souvent aussi bien Kandinsky que *Die Brücke*.

Ce qui les attire en Matisse, ce n'est sûrement pas sa réputation de violence. Ils doivent savoir, comme tous ceux qui ont approché

Matisse si peu que ce soit, que l'épithète de fauve lui convient assez mal ; son prestige auprès d'eux vient plutôt de la qualité rationnelle de son esprit et de son utilisation calculée de la couleur — une couleur plus intense, plus originale et moins asservie aux données de l'expérience que nul peintre n'en a jamais inventée. Matisse a apporté l'électricité dans un monde qui s'éclairait à la chandelle.

Pour lui-même, cependant, cette importante contribution à l'art de son temps n'est qu'une phase transitoire, extrêmement féconde, certes, mais limitée. Le fauvisme est un art de sprinter ; Matisse est un coureur de fond. Il parlera plus tard, et sans le moindre regret, de cette période où il notait « des sensations fraîches et superficielles » : « Il y a quelques années, ce résultat parfois me suffisait. » Le chromatisme fauve représente un certain moment de son art, un moment qui ne pouvait s'éterniser.

A peine le Salon d'Automne de 1905 a-t-il fermé ses portes que Matisse entreprend une très vaste toile, qui ne devra au fauvisme qu'une partie de sa magie. *La Joie de vivre (étude, page 82)* est l'une des grandes peintures du XXe siècle. Elle ouvre des perspectives sur le passé et sur l'avenir et révèle bien des choses sur l'art et sur les forces mystérieuses de la vie aussi bien que sur l'artiste lui-même et l'orientation future de sa carrière. Elle procède directement de l'été que Matisse a passé à Collioure, mais elle dérive également d'aspirations qui hantent l'imagination européenne depuis des siècles et sont liées à des rêves immémoriaux de jardin secret d'où seraient bannies toute culpabilité et toute vaine préoccupation.

Cette œuvre exigera de Matisse un immense travail. Il commence par esquisser de mémoire une clairière dans les bois, s'ouvrant au loin sur la mer, près de Collioure. Puis il exécute de très nombreux dessins d'un nu en plein air, se souvenant à la fois des danses de pêcheurs sur le rivage, à Collioure, et de la manière dont les peintres de vases grecs traitaient la figure ; ses personnages allongés rappellent les flâneurs de Seurat de *l'Ile de la Grande Jatte* et, lorsqu'il s'agit d'ordonner ces divers éléments en un tout cohérent, il évoque la longue suite de bacchanales qui jalonnent la peinture européenne, de Bellini et Titien jusqu'à Watteau et Ingres, en passant par Rubens et Poussin.

Pourtant, au Salon des Indépendants de 1906, la plupart des visiteurs qui contemplent *la Joie de vivre* pour la première fois jugent ce tableau — si différent de tout ce qu'ils ont pu voir — d'une originalité forcée. L'artiste a traité les arbres comme une suite de panneaux de coulisses, et les personnages de la scène — qui dansent, s'embrassent, jouent de la flûte — ressemblent à ceux d'un ballet classique. Mais dans ce cadre conventionnel s'insèrent des éléments fort bizarres. La femme serpentine enguirlandée de lierre, à l'extrême gauche, s'apparente plus à un lampadaire 1900 qu'à un être humain ; le couple enlacé du premier plan paraît n'avoir qu'une seule tête pour deux corps ; certains figurants, défiant les lois de la perspective, sont soit beaucoup trop grands, soit beaucoup trop petits.

La Joie de vivre apporte dans l'art de Matisse de nombreuses innovations, dont d'autres artistes sauront profiter. Les poses sinueuses et sculpturales de ses figures influenceront nombre de statues monumentales sculptées ultérieurement, et l'élan qu'il imprime à la ronde de l'arrière-plan annonce le grand panneau de *la Danse*, qu'il exécutera lui-même quatre ans plus tard. Sur un plan plus général, Matisse affirme, dans *la Joie de vivre*, son intention de s'imposer en peignant à sa manière personnelle, et non plus à la manière de qui que ce soit. L'étude des anciens maîtres lui a appris que la plupart des thèmes traditionnels de la peinture méritaient d'être retenus, mais qu'ils ne sauraient être traités comme par le passé. Il sait aussi désormais que le fauvisme, malgré la puissance de ses effets, ne correspond pas à la complexité de sa propre expression. *La Joie de vivre* est un chef-d'œuvre de lyrisme chromatique, mais la couleur, au lieu de servir à intensifier l'action, *est* elle-même action. Les danseurs, les amoureux unis dans une étreinte symbolique, les joueurs de flûte ne sont pas plus animés que des statues. C'est la magie de la couleur qui transporte l'observateur dans un autre monde.

Matisse fonde de telles espérances sur cette toile qu'elle est son unique envoi au Salon des Indépendants de 1906, mais le public, loin de partager son enthousiasme, reste confondu. Que signifie au juste cette œuvre, fruit manifeste d'un long et patient travail? Si son caractère érotique paraît évident, elle ne vise pas toutefois à la provocation. Elle ne semble pas non plus relever d'une étude de mœurs ou d'une critique de la société, bien qu'elle puisse, par son sujet même, passer pour une satire des peintres qui se livrent à ce genre d'attaque. Mais, à sa façon, par l'exposé que fait ainsi Matisse de sa conception personnelle de la peinture, elle est profondément polémique et, comme toute bonne polémique, elle exaspère quantité de gens. Son vieil ami Paul Signac, particulièrement irrité, déclare à l'un de ses disciples que Matisse s'est complètement fourvoyé. Qu'il ait pris une toile de 2,50 m de long, l'ait cerné de bizarres personnages d'un trait gros comme le pouce, l'ait couverte d'aplats colorés bien définis, lui soulève le cœur, même si la couleur en est belle.

Quelqu'un, heureusement, comprend le sens des recherches de Matisse. C'est le poète Guillaume Apollinaire qui, d'ailleurs, est l'antithèse vivante du peintre : aussi impulsif que Matisse est prudent et mesuré, mondain à l'excès, alors que Matisse se montre parcimonieux des instants passés hors de son atelier, aventureux alors que l'artiste n'avance dans l'inconnu que pas à pas et avec mille précautions. Apollinaire aime la peinture et écrit beaucoup sur ce sujet. Mais ses opinions sont parfois sujettes à caution, et Braque dira un jour de lui qu'il est incapable de distinguer un Rembrandt d'un Rubens. Pourtant, on le lit, parce qu'il est Apollinaire. Artiste parmi des artistes, il évolue dans le milieu des peintres qui lui parlent avec confiance et abandon, et ses articles sont souvent par conséquent un reflet très fidèle de leur état d'esprit.

Apollinaire s'est fréquemment entretenu avec Matisse — les enfants du peintre se souviennent encore de la silhouette massive de cet habitué de la maison et de son insatiable appétit pour le gingembre confit — et il a pris sa défense au moment où les milieux artistiques paraissaient vouloir se détourner de lui. Selon le poète, les critiques se plaignent de ce que l'épithète de fauve soit encore trop faible pour Matisse estimant que celle de « fauvissime » lui conviendrait mieux. La vérité, écrit-il en 1909, est que « M. Henri Matisse est un novateur, mais il rénove plus qu'il n'innove. » Désireux de gagner au peintre les sympathies de ses lecteurs, il évoque sa tranquille existence familiale et l'excellence de la cuisine de Mme Matisse (« sans être fastueuse, sa table est délicate »), ainsi que la qualité des liqueurs rapportées de Collioure.

Apollinaire sera le premier à publier que l'art de Matisse est avant tout un art d'équilibre, où l'instinct et les connaissances acquises se combinent harmonieusement. Questionné à ce sujet, Matisse a dit à Apollinaire qu'il appartient à l'artiste de découvrir sa personnalité la plus profonde et de s'y fier totalement, mais qu'il ne saurait y parvenir par le moyen de la seule introspection. Il lui faut se mesurer aux géants du passé et les braver ouvertement. Si la personnalité de l'artiste succombe, « si le combat lui est fatal, c'est que tel devait être son sort. » Apollinaire est également le premier à révéler les sources d'inspiration qui, selon Matisse, peuvent aider à « développer sa propre personnalité. » Ce sont « toutes les écritures plastiques, les Égyptiens hiératiques, les Grecs raffinés, les Cambodgiens voluptueux, les œuvres des anciens Péruviens, les statuettes des nègres africains », où ceux-ci « ont figuré avec une rare pureté leurs passions les plus paniques. »

Grâce à Apollinaire, Matisse commence à éveiller l'intérêt du public et, en 1908, le directeur de *la Grande Revue* l'invite à s'exprimer dans ses colonnes. L'article de Matisse, « Notes d'un peintre », fait sensation ; il est presque aussitôt traduit en allemand et en russe. A une époque où l'expressionnisme se déchaîne et où l'art est en proie à la violence, Matisse règle son compte à l'expressionnisme en quelques lignes : « L'expression pour moi ne réside pas dans la passion qui éclatera sur un visage ou qui s'affirmera par un mouvement violent. Elle est dans toute la disposition de mon tableau : la place qu'y occupent les corps, les vides qui sont autour d'eux, les proportions, tout cela a sa part. » En ce qui concerne l'impressionnisme, Matisse est non moins explicite ; il ne se contente plus d'enregistrer « les sensations fugitives d'un moment. » « Je veux, dit-il, arriver à cet état de condensation des sensations qui font le tableau. Je pourrais me contenter d'une œuvre de premier jet, mais... je préfère la retoucher pour pouvoir la reconnaître plus tard comme une représentation de mon esprit. » Quant aux théories chromatiques de Signac et des pointillistes, elles sont également écartées : « Le choix de mes couleurs ne repose sur aucune théorie scientifique. Il est basé sur l'observation, sur le sentiment, sur l'expérience de ma sensibilité. »

Matisse se déclare donc contre la violence dans l'expression, contre la notation des sensations fugitives et superficielles, et contre toute doctrine pseudo-scientifique. « Ce que je rêve, dit-il pour conclure, c'est un art d'équilibre, de pureté, de tranquillité », un art qui rejette tout élément superflu et dont lui-même saura se rendre maître, précisant qu'il ne peut copier la nature comme un esclave mais que, par l'interprétation qu'il en fait, elle doit se soumettre à l'esprit du tableau. Il semble conservateur en ce qu'il désavoue les mouvements artistiques de son temps, mais il est en vérité profondément révolutionnaire. Il ne professe que du mépris pour les vulgaires imitateurs et déclare, qu'appartenant à notre temps, nous partageons ses opinions, ses goûts et ses illusions, et qu'il en est de même pour tous les artistes, notamment chez les plus grands d'entre eux. Et Matisse, sans le dire explicitement, sait que le grand artiste est celui qui assume intégralement le fardeau de son temps, ne faisant ni de l'art pour l'art, ni de l'art métaphysique, ni de l'art social, mais seulement de l'art par nécessité intérieure. Il assumera ce fardeau, le portera toute sa vie et y trouvera sa propre justification.

Cette lithographie de 1950, *Apollinaire, Rouveyre, Matisse,* est un hommage rendu par l'artiste à deux de ses premiers admirateurs et amis. Le poète et critique Guillaume Apollinaire *(en haut, à gauche)* fut en effet le premier à prendre publiquement la défense de l'art de Matisse ; affaibli par ses blessures de guerre, il succomba à l'épidémie de grippe espagnole de 1918. André Rouveyre, écrivain et caricaturiste, partageait le goût de Matisse pour le Midi et, à l'époque de cette lithographie, habitait encore à Vence, non loin du peintre. Matisse a encadré sa dédicace « A l'amitié », d'une bordure festonnée, à la manière des albums d'autographes romantiques.

Les «fauves»

Les tableaux deviennent des débauches de couleur; le ciel est crème, les ombres vertes, les troncs d'arbres rouges. Aujourd'hui encore, après plus de soixante ans, nous recevons le plein impact de ces couleurs et en éprouvons un plaisir auquel le choc n'est pas étranger. Les visiteurs du Salon d'Automne de 1905 furent aussi ébranlés à la vue de ces toiles, mais pas de manière agréable. L'agressivité irrationnelle dont faisaient preuve ces artistes leur valut le surnom de «fauves». Paradoxalement, le chef de file de ces enragés se trouvait être le circonspect Matisse.

Pourquoi Matisse, observateur si attentif, transposait-il délibérément les couleurs de la nature en ce chromatisme dément? Pour lui comme pour les fauves, la couleur ne servait qu'à traduire l'intensité de l'émotion ressentie par l'artiste face à son sujet; elle n'était plus elle-même qu'émotion.

Très tôt, des toiles de Matisse sont exposées en Allemagne où, de leur côté, des peintres expérimentent des techniques destinées à arracher l'art allemand à l'ornière de la représentation traditionnelle. A Dresde et à Munich en particulier, de jeunes artistes audacieux cherchent, par l'intermédiaire d'une couleur puissante et abstraite, à s'exprimer fortement, ce qui les fera désigner sous le nom d'expressionnistes.

Les expressionnistes allemands, comme les fauves français, sont redevables à Van Gogh, à Gauguin et à Cézanne. Les deux mouvements ne dureront que l'espace d'un matin. Matisse, cependant, restera fondamentalement un fauve toute sa vie : la couleur, pour lui, se chargeant toujours d'émotion.

Cette toile lumineuse et lyrique est caractéristique de la période fauve de Matisse. La touche est vive, le coloris audacieux, et tout y respire l'insouciante gaieté d'un beau jour d'été. Si charmante qu'elle nous paraisse aujourd'hui, elle fut attaquée, en 1905, au même titre que les autres toiles fauves, par un critique qui ne vit là que les «jeux barbares et naïfs d'un enfant qui s'exerce avec la boîte à couleurs dont on lui a fait don pour ses étrennes. »

La Fenêtre ouverte, Collioure 1905

Portrait de Mme Matisse («la Raie verte»), 1905

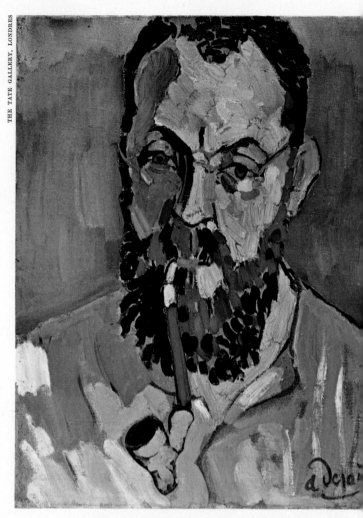

André Derain : *Portrait de Matisse*, 1905

C'est à l'occasion de l'exposition Van Gogh de 1901 que les trois grands fauves — Matisse, André Derain et Maurice de Vlaminck — se trouvent réunis pour la première fois. Tous trois admirent Van Gogh, ce peintre qui, quinze ans plus tôt, avait écrit à son frère : « J'utilise la couleur de manière tout à fait arbitraire, afin de pouvoir m'exprimer avec force. » Il y a presque douze ans que Van Gogh est mort, mais les fauves vont démontrer qu'ils sont bien ses successeurs.

Matisse et Derain se connaissent déjà depuis deux ans; tous deux prennent l'art au sérieux et ne s'orientent vers le fauvisme que par l'étude et l'expérimentation.

Vlaminck, ami de Derain, est tout l'opposé : d'une nature impulsive et violente, il embrase ses couleurs comme des charbons ardents. Matisse se souviendra d'avoir rencontré, à la galerie Bernheim-Jeune, Derain en compagnie d'un énorme gaillard qui proclamait son enthousiasme pour Van Gogh sur un ton d'autorité : c'était Vlaminck, et il lui sembla que Derain en avait un peu peur, mais qu'il l'admirait pour son enthousiasme et sa passion.

Malgré leurs personnalités très différentes,

Maurice de Vlaminck : *Portrait de Derain,* 1905   André Derain : *Portrait de Vlaminck,* 1905

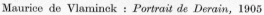

les trois artistes aboutiront au fauvisme presque en même temps, mais chacun dans son style propre. Celui de Vlaminck est fruste, comme en témoigne son portrait de Derain *(ci-dessus)* ; la pâte est épaisse et s'étale en traînées grasses ; les paupières sont lourdes, la moustache dépasse la joue, les chairs et une partie du fond sont presque de la même couleur. La touche de Derain, dans son portrait de Vlaminck *(ci-dessus, à droite),* montre plus de délicatesse, le coloris plus de nuances et le travail du pinceau plus de légèreté ; l'ambiance générale, depuis le chapeau melon incliné jusqu'au fond jaune

éclatant, y est plus raffinée. La sensibilité de Derain est non moins manifeste dans son portrait de Matisse *(page de gauche).*

De tous les fauves, cependant, c'est Matisse dont la main est la plus sûre. On le constate dans le portrait de sa femme *(page de gauche),* surnommé « la Raie verte » par les Michael Stein qui en furent les premiers propriétaires. Cette ligne médiane fait saillir le visage en relief et l'empêche d'être submergé par la violence de l'arrière-plan. C'est là l'un des procédés favoris de Matisse : il donne tant de force à ses fonds qu'il est obligé ensuite de « montrer » son sujet.

André Derain : *Vue de Collioure*, 1905

Bien que de tempéraments très différents, Vlaminck et Derain incarnent aux yeux des foules le personnage type d'artiste bohème et mauvais garçon. Pendant une brève période, ils travaillent ensemble dans un ancien restaurant délabré de Chatou qui leur sert d'atelier. Ils fréquentent des bons à rien, des mendiants et des filles, et quittent souvent leur chevalet pour de longues randonnées à bicyclette ou des courses d'aviron, tout fiers de leur force physique. « Ni Derain ni moi n'étions ce qu'il est convenu d'appeler des bohèmes, des mauvais garçons, précise Vlaminck, simplement des non-conformistes, des à-part. »

L'art de Derain souffrira de son excessif intellectualisme qui, de plus en plus, l'inclinera au conservatisme, l'incitant souvent à se mesurer aux maîtres — et à s'avouer battu. Pour lui, le plus grand danger en art est d'en savoir trop. Pourtant, sa touche est juste, et il possède un sens très sûr de la lumière, du mouvement et de la beauté. Ses œuvres de 1905, exécutées à Collioure

Maurice de Vlaminck : *Paysage aux arbres rouges,* 1906

en compagnie de Matisse *(à gauche),* reflètent
la commune conviction des deux amis que
l'art doit toujours être agréable à l'œil.

Vlaminck, lui, ne se compare jamais
aux maîtres anciens. Cet autodidacte
triomphant se complaît même dans un mépris
souverain des musées : « La fréquentation
des musées abâtardit la personnalité,
comme la fréquentation des curés
fait perdre la foi. » Il se collette avec
ses toiles, travaille par accès furieux, étale
souvent la couleur au sortir du tube,

comme le faisait Van Gogh. Ce géant
batailleur est rempli de talents : bon musicien,
il s'affirme aussi excellent écrivain.
Anarchiste en révolte contre les « conventions
bornées » d'une société égoïste, il écrira :
« La peinture me fut un exutoire, un abcès
de fixation... Ce que je n'aurais pu faire
dans la vie qu'en jetant une bombe...
j'ai tenté de le réaliser dans l'art. J'ai satisfait
ainsi à ma volonté de détruire de vieilles
conventions, de *désobéir,* afin de recréer
un monde sensible, vivant et libéré. »

Tandis que les fauves révolutionnent Paris,
les expressionnistes, en Allemagne, tentent
de mettre le feu à l'art traditionnel et à toute
la société gourmée et répressive. Une école,
Die Brücke, « le Pont » (vers le futur), installe
un atelier dans une ancienne boucherie de Dresde,
où artistes et modèles travaillent, discutent
toute la nuit, et mènent une vie communautaire.
Les deux tableaux de Kirchner et de Heckel
reproduits sur cette page traduisent ce besoin
de liberté et de spontanéité. Une autre école
expressionniste se forme à Munich, *Der Blaue
Reiter*, « le Cavalier bleu », nom que lui donnent
ses deux chefs, Vassili Kandinsky et Franz Marc.
Kandinsky, ancien juriste et professeur d'origine
russe, peint volontiers des évocations de sa
patrie, où la couleur lui sert à exprimer
sa nostalgie. De même, l'Allemand
Marc utilise couleur, forme et rythme pour
dramatiser dans ses toiles l'intégration de
toutes les créatures de la nature.

COLLECTION DR. FRANZ BURDA, OFFENBOURG

Ernst Ludwig Kirchner : *Nu bleu couché au chapeau de paille*, 1908

FONDATION BUCKHEIM, FELDAFING

Erich Heckel : *l'Étang dans les bois*, 1910

Vassili Kandinsky : *la Vie multicolore*, 1907

Franz Marc : *la Vache jaune*, 1911

67

IV

Premiers
amateurs étrangers

Matisse, vers l'âge de trente-sept ans, n'a pas encore fait fortune à la manière de certains jeunes peintres d'aujourd'hui, mais il est parvenu à un moment de sa vie où il peut espérer qu'avec un peu de chance il ne connaîtra plus jamais la misère. Ce moment se situe entre mars 1906 et février 1907. En mars 1906, en effet, le marchand de tableaux Théodore Druet organise pour lui une exposition individuelle, qui groupe cinquante-cinq de ses toiles — lesquelles, d'ailleurs, regagneront presque toutes son atelier à la fin de l'exposition. En février 1907, le jeune marchand D. H. Kahnweiler, récemment arrivé d'Allemagne pour se fixer à Paris, a su attirer dans son orbite des peintres tels que Derain, Vlaminck, Braque et Picasso, mais il n'ose solliciter Matisse, car celui-ci, dit-il, est « déjà trop grand pour moi. » En l'espace de ces dix mois, l'invendable Matisse est devenu un artiste coté : il s'est acquis ce dont rêvent tous les artistes, à savoir le soutien solide et durable d'un groupe d'amateurs sérieux.

A une exception près, tous ces amateurs sont étrangers. Le seul Français à comprendre la valeur de Matisse est Marcel Sembat, le député socialiste de Montmartre, qui a commencé à collectionner ses œuvres dès le début du fauvisme, et lui gardera toujours son admiration. En 1920, Sembat publiera la première monographie consacrée à Matisse et, en 1922, son legs généreux à Grenoble donnera au musée de cette ville vingt années d'avance sur les autres musées français, en ce qui concerne la possession de tableaux de Matisse.

L'honneur d'avoir été les premiers admirateurs étrangers de Matisse est généralement attribué à Léo et Gertrude Stein qui, au Salon d'Automne de 1905, achetèrent *la Femme au chapeau* pour la somme de cinq cents francs environ, et l'accrochèrent dans le salon de l'appartement qu'ils habitaient en commun 27, rue de Fleurus. Matisse fut surpris et touché de cette confiance. A l'époque, ce tableau avait déchaîné une telle hostilité que l'artiste avait défendu à sa femme de se montrer au Salon. Lui-même ne s'y rendit d'ailleurs qu'une seule fois. Mais les Stein n'étaient pas des amateurs ordinaires. Naïfs, selon les critères traditionnels français, ils professaient hardiment leur goût pour la peinture nouvelle. Toujours prêts à s'instruire, ils avaient néanmoins une confiance innée en leur instinct.

Léo et Gertrude Stein étaient les rejetons de deux générations de ces

L'enchantement visuel que Matisse découvre au Maroc se traduit ici par les chaudes couleurs de cette nature morte, réalisée au cours de son second voyage. Les rondeurs pulpeuses de ces fruits sont mises en valeur par le vert brillant des feuilles, tandis que la nappe à fleurs et l'arrière-plan coloré ajoutent encore à l'impression de bonheur.

Oranges, 1912

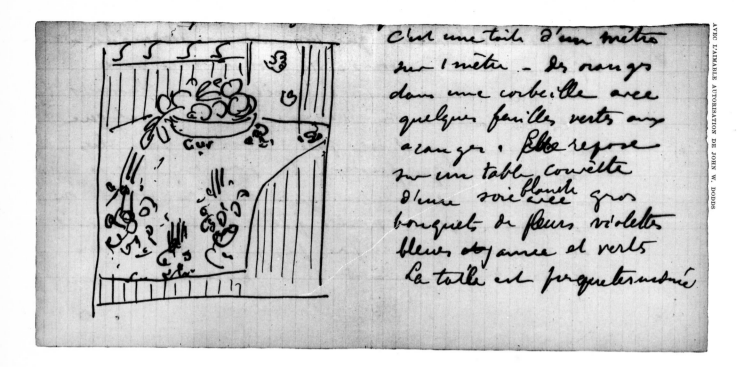

Ce croquis pour la toile *Oranges,* accompagné de notations de couleur, figure sur un fragment de lettre adressée à Michael Stein en 1912. Encore insatisfait de sa composition, Matisse la soumet au jugement d'un ami. Pour l'œuvre définitive *(voir page 68),* il a conservé à peu près inchangées la corbeille de fruits et la nappe à bouquets. Il a toutefois diversifié le fond à l'aide d'horizontales, de verticales, d'obliques et de plans de couleurs, puis il a remplacé, au-dessous de la nappe, les rayures du croquis par des tons unis de rouge et de violet. Pendant la Seconde Guerre mondiale, Picasso achètera cette toile de Matisse pour sa propre collection.

robustes expansionnistes engendrés par l'Amérique du milieu du XIXe siècle. Aussi réceptifs fussent-ils, ils estimaient, en dernière analyse, que leur jugement valait largement celui d'autrui. Ils disposaient de revenus confortables, que leur assuraient une entreprise familiale de magasins de confection à Baltimore et à Pittsburgh, ainsi que des actions de l'Omnibus Cable Company de San Francisco et de la Central Pacific Railroad. A Baltimore, les Stein avaient la réputation d'être des gens cultivés, mais qui n'ignoraient nullement la signification du mot travail. Gertrude avait fait de sérieuses études de médecine à l'école John Hopkins, à une époque où il était exceptionnel qu'une femme s'intéressât à cette discipline et, si elle avait manqué de peu son diplôme, c'était pour avoir refusé tout net à un professeur de recommencer à suivre un cours qui l'assommait. Quant à Léo, encore étudiant à Harvard, sa passion de l'art l'avait entraîné à consacrer toutes ses vacances à la visite des grands musées du monde entier; pendant un temps, il rassembla même des documents en vue de la rédaction d'une vie de Mantegna, projet qu'il abandonna bientôt lorsqu'il s'aperçut qu'il préférait l'esthétique à l'histoire. A sa sortie de Harvard, il se fit le disciple de Bernard Berenson, et fut souvent reçu par ce dernier dans sa villa florentine de « I Tatti », bien que Berenson trouvât parfois fatigant le zèle laborieux de Léo qui, disait-il, avait toujours « l'air d'être en train d'inventer la poudre. »

Enfants, Léo et Gertrude avaient été inséparables, et Léo parlera un jour de leur mutuel attachement comme du « roman de la famille ». A Paris, tous deux deviennent bientôt le centre de la bohème artistique. Même dans ce milieu, ils ne passent pas inaperçus. Léo, avec sa faconde, sa réputation de richesse, sa calvitie et sa barbe fleuve, ses pantalons de velours côtelé et ses sandales « bachiques », compose, aux yeux des Français, un personnage mystérieux et contradictoire. Gertrude est plus bizarre encore : cette jeune femme épaisse et trapue, au corps piriforme surmonté d'une énorme tête, a le don d'exprimer l'essentiel en un minimum de mots. A l'époque, cependant, personne ne prend pour une sorte de génie cette femme de lettres, auteur futur de poèmes et d'œuvres en prose dont le retentissement se révélera immense. C'est Léo qui, dans ce cercle d'intellectuels, donne le ton ; auprès de ses amis et de ses conquêtes — celles-ci à peine moins nombreuses que ceux-là —, il passe pour un homme capable des plus grandes choses, à condition qu'il se décide un jour à savoir ce qu'il veut.

Léo, dans ses lettres, apparaît vaniteux, susceptible et suffisant. Il n'empêche qu'il sera un temps, au dire de l'historien d'art Alfred Barr, le collectionneur le plus éclairé du XXe siècle. Entre 1905, année où, conjointement avec Gertrude, il acquiert *la Femme au chapeau*, et 1909, année où il se lasse de ce passe-temps, il rassemble une admirable collection de toiles modernes. Berthe Weill le connaît bien — il en parle comme d'une « drôle de petite vieille dame, affligée de myopie et de strabisme, qui sympathise avec tous les révolutionnaires, bons, mauvais ou passables ». C'est elle qui l'a incité à acheter *la Femme au chapeau*, en lui racontant la déception de Matisse devant l'accueil réservé à son tableau. « Matisse pensait que, cette fois, il avait joué son as d'atout, écrit Léo, et, apparemment, cela ne lui rapportait rien. » Il alla voir le tableau au Salon avec Gertrude, passa outre à son étrangeté et décida de l'acquérir : « C'était exactement ce que, sans le savoir, j'attendais », conclut-il.

Les Stein s'arrangent alors pour faire la connaissance de l'artiste, et Léo, qui sait reconnaître au premier coup d'œil le véritable intellectuel, est enchanté de Matisse qui, par sa culture et son esprit méthodique, s'apparente à leurs amis de Baltimore. « Matisse était vraiment intelligent, observera Léo ; il était également plein d'esprit et savait exprimer avec précision ses idées sur l'art. » Alors que la plupart de ses compatriotes ne voient encore en Matisse qu'un barbouilleur, Léo Stein a compris la démarche artistique du peintre : « Il est intuitif, il est intelligent ; à sa façon, il est aussi obstiné que Cézanne lui-même, et ses meilleures compositions constituent de véritables finalités picturales, pleines, totales et telles qu'on en rencontre rarement. » Bientôt, les toiles de Matisse envahissent le salon de la rue de Fleurus. Les Stein achètent par pure passion, sans discuter et en masse : *la*

Des toiles de Cézanne, Matisse, Renoir et Picasso couvraient les murs du salon de Gertrude Stein, rue de Fleurus à Paris. Ici, Miss Stein *(à droite)* et la compagne de sa vie Alice B. Toklas — souvent assise ainsi au coin de la cheminée — tenaient leur cour pour des artistes privilégiés. C'est ici même que Gertrude Stein offrit un jour un déjeuner à tous les artistes vivants dont elle possédait un tableau, s'amusant à placer chaque invité en face de son œuvre. Nul ne remarqua le subterfuge, sauf le très observateur Matisse, qui lui dit d'un ton aigre-doux : « Oui, je sais, mademoiselle Gertrude, le monde est un théâtre pour vous, mais il y a théâtre et théâtre ; et, quand vous m'écoutez si attentivement et si soigneusement, sans entendre un seul mot de ce que je dis, je peux affirmer que vous êtes très rusée. »

Femme au chapeau en 1905, *la Joie de vivre* en 1906, le *Nu bleu* en 1907.

Matisse se réjouit de cette sympathie agissante, mais il n'en perd pas la tête pour autant. « Matisse a toujours été un excellent homme d'affaires, écrit Léo. Et pourquoi pas? Nous ne lui achetions pas ses tableaux pour ses beaux yeux, mais parce que nous nous intéressions à ce qu'il faisait. » Peut-être Matisse pressent-il que cet intérêt risque de faiblir, que Léo est d'un naturel capricieux et dispersé, et que Gertrude, infiniment plus stable, n'a cependant pas un sens artistique très profond. En tout cas, il est certain, que, de toute la famille Stein, c'est Mme Michael Stein, la femme de leur frère aîné, qu'il préfère. D'ailleurs, si Léo et Gertrude sont à l'abri de tout souci financier, ils le doivent à l'habileté des placements réalisés par Michael. Très vite, Sarah Stein va devenir pour Matisse la plus dévouée et la plus indéfectible des admiratrices.

Ce croquis au fusain est une étude de Matisse pour le portrait de la femme de Michael Stein, Sarah *(page 82)*, que le peintre préférait à tout autre membre de la famille Stein. C'est grâce à elle que se négocia la première vente d'une toile de Matisse à un collectionneur des États-Unis : un de ses amis, Georges Of, avait vu à New York quelques tableaux de Matisse qu'elle avait apportés avec elle, au cours d'un rapide voyage en Amérique. Frappé par la qualité de ces œuvres —, les premiers Matisse à franchir l'Atlantique —, Of chargea Sarah de lui acheter un Matisse, se fiant à son choix. De retour en France, la jeune femme acquit pour son ami américain le *Nu dans un bois*.

Sarah et Michael Stein habitent rue Madame un modeste appartement qui est loin d'avoir l'allure et le style « artiste » du pavillon de la rue de Fleurus. Matisse est certes toujours accueilli avec empressement par Léo et Gertrude, mais il se sent beaucoup plus à l'aise chez les Michael Stein. Sarah, jeune femme impulsive et affectueuse, a étudié la peinture, et Matisse l'estime douée d'une sensibilité et d'un discernement exceptionnels. En outre, après les attitudes pontifiantes de rigueur rue de Fleurus, la spontanéité juvénile et le naturel de Sarah sont un rafraîchissant contraste. Matisse prend donc l'habitude d'aller voir les Stein rue Madame et de bavarder avec eux sans contrainte, sachant que ses confidences ne seront pas colportées dans tout Paris.

Le récit le plus amusant et le plus détaillé — sinon le plus véridique — de cette période de la vie du peintre a été fait par Gertrude Stein dans sa divertissante *Autobiographie d'Alice B. Toklas*, présentée comme les mémoires de la fluette jeune femme qui vint en 1907 partager son existence. Rédigée bien après les événements qu'elle rapporte (elle ne sera publiée qu'en 1933), cette *Autobiographie* contient bien des erreurs de fait et bien des fautes de goût et de tact. Léo Stein y verra « une superstructure assez habile, élevée sur une base d'insondable stupidité. » Braque, plus brutal, reprochera à Gertrude de n'avoir rien compris à ce qui se passait autour d'elle et d'en être restée au stade du touriste. Quant à Matisse, constatant que les faits relatés sont, pour la plupart, de pure invention, il dira de ce livre qu'il ressemble à un costume d'Arlequin assemblé sans goût et sans rapport avec la réalité. En privé, il ira plus loin encore, déclarant que Gertrude Stein est une grande sotte.

Il faut dire que le livre n'est pas tendre pour Matisse. Dans un certain passage où il est question d'Hélène, sa cuisinière, Gertrude Stein écrit : « Hélène avait ses goûts à elle; par exemple, elle n'aimait pas Matisse. Elle disait qu'un Français ne doit jamais rester manger chez des amis à l'improviste, surtout s'il a demandé auparavant à la domestique ce qu'il y avait pour le dîner. Elle disait que les étrangers avaient le droit de faire cela, mais pas les Français; or, Matisse l'avait fait une fois. Aussi, quand Miss Stein disait à Hélène : « Monsieur Matisse reste à dîner ce soir », Hélène répondait : « Dans ce cas, je ne ferai pas d'omelette, mais des œufs sur le plat. Cela prend autant d'œufs et autant de beurre, mais c'est moins respectueux, et il comprendra. »

Personne n'aime se voir tourné en dérision dans un livre, et les Français sont particulièrement exaspérés par les plaisanteries des étrangers à leurs dépens : ceux qui obtiennent le privilège de pénétrer dans leur intimité ont le devoir de ne pas en abuser. Mais l'irritation de Matisse, lors de la publication de l'*Autobiographie d'Alice B. Toklas*, peut s'expliquer aussi par le fait que Gertrude Stein avoue sans ambages sa préférence pour un jeune Espagnol juste au début de sa carrière, Pablo Picasso, le seul artiste digne d'intérêt à ses yeux dans le Paris de cette époque.

Matisse et Picasso font connaissance chez Gertrude Stein, à l'automne de 1906. Fernande Olivier, alors compagne de Picasso, notera dans ses mémoires que « très maître de lui, à l'encontre de Picasso, toujours un peu maussade et gêné dans ces sortes de réunions, Matisse brillait, s'imposait. » Ce dernier a quelque raison de se sentir supérieur. Il est de douze ans l'aîné de Picasso qui, à l'époque, n'a que vingt-cinq ans, et son tableau le plus important, *la Joie de vivre*, trône dans le salon des Stein. Mais ces apparences sont trompeuses. Picasso connaît les Stein depuis presque un an, et il a déjà terminé le monumental portrait de Gertrude, pour lequel elle a posé plus de quatre-vingts fois. A la faveur de ces séances, des rapports de sympathie se sont établis entre eux, bien différents des relations qu'elle entretient avec Matisse. Être insaisissable, anxieux et opportuniste, Picasso apparaît manifestement un homme de génie, ce qui n'est pas le cas de Matisse, homme de nature réservée et de propos pondéré. Gertrude Stein ne se passionne pas vraiment pour la peinture en tant que telle, mais elle s'intéresse prodigieusement aux personnalités exceptionnelles et, dès sa première rencontre avec Picasso, elle a reconnu en lui un être hors du commun.

Le fait que Matisse et Picasso ne se soient jamais rencontrés auparavant est moins surprenant qu'on pourrait le croire. Picasso habite et travaille à Montmartre, et ne descend que rarement de la Butte. Matisse, lui, n'y va jamais. Ni l'un ni l'autre ne vont dans le monde par plaisir, mais un amateur d'art, surtout étranger, a droit, de la part des artistes, à quelques égards. Gertrude Stein n'a aucun mal à organiser chez elle la rencontre des deux hommes, mais il est douteux qu'aucune maîtresse de maison ait pu y parvenir aussi facilement par la suite. Ils ne seront jamais rivaux au sens étroit du terme, mais ils ne seront jamais non plus amis. Chacun reconnaît l'éminente valeur professionnelle de l'autre : Picasso, à propos de Matisse et de lui-même,

En 1911, Matisse se tourmente au sujet de *la Famille du peintre (page 87)*, tableau auquel il travaille, lorsqu'il envoie à Michael Stein, à San Francisco, la carte postale ci-dessus : « Il est en bonne voie, mais comme il n'est pas terminé ça ne veut rien dire. Ça n'est pas logique que je ne sois pas certain de le réussir. Ce tout ou rien est bien fatigant. » Sincèrement attaché à Michael Stein et à sa femme, il fera leur portrait à tous deux en 1916 *(page 82)*. La photographie de gauche montre Matisse travaillant au portrait — austère et plus grand que nature — de Michael. Plus conventionnelle que la plupart des portraits exécutés par Matisse à cette époque, cette image reflète peut-être la profonde estime que l'artiste éprouvait pour son modèle.

Miss Etta Cone *(ci-dessus)* et sa
sœur le Dr. Claribel *(ci-dessous)*
achetèrent 43 toiles de Matisse.
Personnes de grande culture et de
forte personnalité, elles n'en étaient
pas moins excentriques.
Le Dr. Claribel, par exemple, était
à ce point obsédée par son besoin
de confort et de tranquillité que,
la Première Guerre mondiale ayant
éclatée alors qu'elle se trouvait en
voyage en Allemagne, elle préféra
y demeurer le temps du conflit,
plutôt que de se hasarder à regagner
dans des conditions précaires sa
patrie. Quant à la scrupuleuse
Miss Etta, elle dactylographia
lettre par lettre tout un manuscrit
de Gertrude Stein, sans en prendre
connaissance, ayant oublié d'en
demander la permission à l'auteur.

évoquera un jour l'image du « pôle nord et du pôle sud », signifiant
par là que leurs tempéraments sont aussi opposés que possible et, en
même temps, qu'ils représentent tous deux des repères sans lesquels
la carte de l'art moderne serait dépourvue de toute orientation.

A l'époque de leur première rencontre, il n'existe aucun parallélisme dans leurs recherches. Pour Picasso se termine la période des
toiles bleues et roses, visions merveilleuses et poétiques, mais qui
relèvent du domaine des données formelles quotidiennes. Il va bientôt
s'engager dans l'expérience cubiste, que la plupart des amateurs juge-
ront plus radicale et plus féconde que toutes les audaces de Matisse.
La révolution chromatique, dont celui-ci s'est fait le pionnier, est une
révolution du sentiment : elle fournit au peintre le moyen de s'exprimer
d'une façon nouvelle, directe, authentique. Le cubisme, dont Picasso
est le chef de file, est une révolution de la construction. Alors que
Matisse recrée un monde bidimensionnel réduit à des aplats de couleur
pure, Picasso recrée en termes inédits la troisième dimension. Les deux
peintres s'aventurent dans des directions diamétralement opposées.
Pourtant, il serait anormal que Picasso n'eût pas le désir de surpasser
Matisse en tant qu'artiste, de même qu'il serait anormal que Matisse
n'éprouvât pas en la circonstance quelque chose de plus que de la
simple curiosité.

Peu de temps après cette rencontre, Picasso entreprend la toile qui
est peut-être la plus célèbre du XXe siècle, *les Demoiselles d'Avignon*,
où se trouvent groupés cinq nus féminins aux visages de masques et
aux corps anguleux. Les sources de cette composition sont d'une
infinie complexité. Il est cependant hors de doute que, au cours de
son exécution, la pensée de Matisse dut, de temps à autre, être présente
à l'esprit de Picasso. Avec son génie de faire sien tout ce qui peut lui
servir, le jeune Espagnol s'intéresse depuis peu à l'art africain ; la
manière exacte dont les choses se sont passées est sujette à controverse
mais, à cette époque, Matisse a déjà commencé à collectionner les
sculptures nègres, et il a sans doute montré ses statuettes à Picasso,
lorsque celui-ci est venu le voir chez lui. En outre, Picasso a devant lui
l'exemple du tableau accroché dans le salon de la rue de Fleurus, *la
Joie de vivre*, où Matisse a condensé avec virtuosité toutes ses préoccupations du moment. Il est difficile de ne voir qu'une coïncidence dans le
fait que, presque aussitôt, Picasso entreprend une toile d'une importance comparable. Notons enfin qu'on observe une filiation directe
entre la figure assise des *Demoiselles d'Avignon* et l'une des *Baigneuses*
de Cézanne, peinture que Matisse tient alors en sa possession.

Après la révélation des *Demoiselles d'Avignon*, les relations personnelles des deux artistes — bien qu'ils continuent à se voir — se nuancent
d'une prudente circonspection. Pendant une période, par exemple,
Matisse entraîne Picasso à monter à cheval mais, à dessein ou non, il
impose une allure qui laisse invariablement son compagnon, médiocre
cavalier, meurtri et courbatu. On a aussi souvent souligné que,
lorsqu'ils échangent des toiles, ils ne s'offrent jamais ce qu'ils ont de
meilleur. Après la Seconde Guerre mondiale, cependant, les deux
hommes deviendront presque voisins dans le Midi, et ils se rappro-
cheront. Matisse fera cadeau à Picasso de la célèbre « colombe » qui
lui servira de modèle pour l'affiche de la paix, ainsi que de l'idole rayée
mélanésienne qui, vers la fin des années cinquante, accueillera les
visiteurs dans sa villa. Rares sont les personnes dont l'opinion importe
à Picasso, mais il invitera souvent Matisse à venir voir ses travaux et,

lorsque celui-ci en sera empêché par la maladie, il louera une camion-
nette pour transporter ses toiles chez le vieux maître, afin qu'il puisse
les examiner à loisir. Peu après la mort de Matisse, un ami fit observer
à Picasso ce qui lui semblait être une trace de l'influence de Matisse
dans l'une de ses toiles récentes : « Ah oui, aurait répondu Picasso, vous
voyez, il faut que je peigne pour nous deux maintenant. »

Le magnétisme personnel qui, si vite, attire les collectionneurs vers
Picasso ne joue pas chez Matisse. Aussi, tout nouvel admirateur lui
est-il un atout précieux, et l'année 1906 restera mémorable pour lui
en avoir amené deux en la personne des sœurs Cone, le docteur Claribel
Cone et Miss Etta Cone. Ces énergiques demoiselles américaines sont
des amies des Stein depuis leur jeunesse à Baltimore; elles sont
également d'authentiques cosmopolites, et se trouvent aussi en
possession de revenus confortables, provenant, dans leur cas, de fila-
tures de coton fondées par leurs frères, grâce à des fonds empruntés à
leur père, représentant la première génération américaine d'une famille
d'immigrants juifs allemands.

Claribel Cone, attirée plus encore que Gertrude Stein par les études
médicales, était l'une des premières femmes médecins d'Amérique.
Haute d'un peu plus d'un mètre cinquante, dotée de grands pieds et
de grandes mains, accusant une nette tendance à l'embonpoint quant
à la moitié inférieure de sa personne, elle avait une allure encore plus
insolite que son amie Gertrude. Paradoxalement, elle adorait les effets
vestimentaires et, invariablement habillée de noir, arborait des accessoires théâtraux, dont l'étrange juxtaposition frisait souvent le ridi-
cule. A l'Opéra, on la voyait paraître portant dans ses cheveux
des broches d'argent indiennes, sur sa poitrine de massifs bijoux
Renaissance et, drapés sur ses épaules, un amoncellement de châles
espagnols et orientaux. Le docteur Claribel parlait beaucoup, méritait
presque toujours d'être écoutée et possédait d'ailleurs une voix qui
forçait l'attention. Sa sœur, Miss Etta, non moins ferme dans ses
convictions, était de nature douce et réservée et beaucoup moins
portée à l'extravagance. Leurs qualités de collectionneuses sont
attestées par la Collection Cone du musée de Baltimore, mais leurs
qualités humaines de constance, d'intégrité, d'ouverture d'esprit,
étaient tout aussi remarquables.

Matisse fait, en janvier 1906, la connaissance des sœurs Cone, que
Mme Michael Stein amène chez lui. Ce jour-là, elles lui achètent, pour
cent francs, un dessin et une aquarelle, et elles ne cesseront plus
d'acquérir ses œuvres pendant trente ans. A la différence de Léo et
de Gertrude Stein qui se déferont de leurs Matisse, elles conserveront
les leurs et, alors que les autres collectionneurs l'abandonneront
lorsque sa cote s'élèvera, elles continueront à faire monter les enchères
dans les ventes publiques. Le *Nu bleu*, mis en vente à Paris en 1926,
sera adjugé au docteur Claribel pour la somme, considérable à l'époque,
de trente mille francs.

Reconnaissant de ce loyalisme, Matisse voue aux sœurs Cone cette
affection profonde mais peu démonstrative qu'il réserve à ceux qui,
à ses yeux, ont réellement fait leurs preuves. Ce cercle de fidèles est
restreint; la plupart d'entre eux sont anglo-saxons. En font partie
les critiques d'art Roger Fry et Clive Bell, l'écrivain anglais Matthew
Stewart Prichard et l'archéologue américain Thomas Whittemore,
mieux connu pour ses travaux concernant la mise au jour des splen-
dides mosaïques de Sainte-Sophie d'Istanbul. Whittemore, en 1909,

Ce joyeux trio choquant des pots de bière, à Munich en 1910, se compose de Matisse, à droite, des peintres allemands Albert Weisgerber au centre, et Hans Purrmann, à gauche, dont on voit ci-dessous l'autoportrait de 1953. Purrmann aida Matisse à organiser son Académie et à l'administrer. Il organisa également sa première exposition individuelle à Berlin, lui servit d'agent auprès des collectionneurs allemands, lui consacra plusieurs monographies et lui servit de guide au cours de trois voyages en Allemagne.

acquiert *la Terrasse de Saint-Tropez* et l'offre à Isabelle Stewart Gardner, collectionneuse de Boston, qui a transformé en musée sa maison de Fenway Court ; ce tableau de Matisse est ainsi le premier à entrer dans un musée américain.

Mais la personne dont le soutien est, pour Matisse, le plus précieux reste Mme Michael Stein. Après 1907, alors que Léo Stein commence à se lasser de son œuvre et que Gertrude manifeste une préférence de plus en plus marquée pour Picasso, Sarah Stein se révèle l'élément le plus constant de la famille. C'est elle qui transporte la première toile de Matisse à travers toute l'Amérique jusqu'à San Francisco, et lance la vogue de l'artiste parmi les collectionneurs californiens. Ce voyage se situe en 1906, après le tremblement de terre de San Francisco, Sarah Stein et son mari s'étant rendus sur place pour s'occuper de leurs biens immobiliers. Au nombre des amateurs qu'elle a convertis pendant son séjour se trouvent Harriet Lane Levy — dont la collection de Matisse enrichira le musée de San Francisco — et sa minuscule amie, Alice B. Toklas, qui suivra les Stein à Paris et finira par partager l'existence de Gertrude.

C'est également à l'initiative de Sarah Stein que l'Académie Matisse devra son éphémère mais très brillante carrière. Depuis longtemps, la jeune femme demandait à Matisse de corriger ses propres travaux et, avec sa générosité de cœur coutumière, elle ne peut résister au désir de faire partager à d'autres ce privilège. Pour commencer, elle invite le peintre allemand Hans Purrmann à se joindre à elle puis, un certain nombre d'amis ayant exprimé le vœu de recevoir l'enseignement direct de Matisse, elle lui propose d'ouvrir un cours d'art privé. Les sentiments de l'artiste, en la circonstance, sont contradictoires. D'une part, il est touché par l'enthousiasme de ses futurs élèves et se rappelle quel prix il attachait lui-même aux cours de Gustave Moreau, d'autre part, il redoute que cette école n'exige de lui trop de temps et d'énergie au détriment de son œuvre, à un moment crucial de sa carrière. Depuis la clôture du fatal Salon d'Automne de 1905, Matisse n'a cessé de se débattre pour assimiler plusieurs expériences personnelles sans relation entre elles. Et, n'étant pas homme à traiter ces problèmes à la légère, il se trouve parfois en proie à de sérieuses difficultés.

Au cours de l'hiver 1905-1906, le peintre a fait un séjour en Algérie. A Biskra en particulier, la lumière et la couleur du pays, la beauté nonchalante des habitants ont produit sur lui une impression profonde. Il a couvert de notes son carnet de croquis et, l'hiver suivant, à Collioure, s'en est servi pour un tableau définitif, le célèbre *Nu bleu*. Cette toile, exposée au Salon des Indépendants de 1907, a elle aussi provoqué une furieuse tempête. Il y a certes quelque chose de déconcertant dans ce nu couché aux formes frustes, déhanché selon l'une des poses chères à Matisse. C'est un nu du Nord dans un décor du Midi : du Nord, par la franchise sans compromis du modelé et la volonté d'atteindre au vrai, si laid soit-il ; du Midi par les nuances roses des feuilles de palmier et la qualité vibrante de la couleur dans les ombres.

Mais le *Nu bleu* est également déconcertant parce qu'on y voit s'affronter deux aspects différents et contradictoires de la personnalité de l'artiste. Son désir de modeler les masses aussi vigoureusement que possible et de faire ressortir le caractère tridimensionnel du sujet coexiste avec sa préoccupation de la lumière, de cette intense lumière nord-africaine qui décolore les tons, aplanit les reliefs et réduit tout objet à l'état de surface. Matisse, qui pèse toujours soigneusement le pour et le contre avant de s'engager, oscille entre le sculptural et le décoratif, entre le réel et l'imaginé, entre le direct et l'élaboré.

C'est vers cette époque aussi que se place son premier voyage en Italie, autre expérience qu'il lui faut assimiler. Au cours de l'été de 1907, accompagné de sa femme, il a visité Venise, Florence, Padoue et Sienne. Matisse n'éprouve aucune admiration réelle pour la fin de la Renaissance; l'époque de la maturité de Vinci et de Michel-Ange lui apparaît comme le commencement de la décadence de l'art italien. En revanche, les primitifs italiens le ravissent; Giotto, Duccio, Piero della Francesca surtout ont ses faveurs. Matisse est une nature trop complexe pour que se manifeste immédiatement en lui l'influence de ce voyage en Italie, mais il y réagit de façon beaucoup plus intense que le commun des visiteurs. L'Américain Walter Pach, artiste et critique d'art, qui le rencontre au cours de ce voyage, écrit que Matisse est revenu d'une journée passée à Arezzo « avec tant d'admiration pour l'art parfait de Piero della Francesca qu'il en gardera l'impression toute sa vie. »

Le troisième événement crucial de la vie de Matisse à cette époque est lié à la mort de Cézanne, en 1906, et aux deux expositions organisées en son souvenir, l'une groupant soixante-dix-neuf aquarelles à la galerie Bernheim-Jeune en juin 1907, et l'autre quarante-huit toiles au Salon d'Automne de la même année. Ce n'est pas sans une certaine irritation que Matisse, qui révérait Cézanne depuis plus de dix ans, dut voir de jeunes artistes de plus en plus nombreux partager son enthousiasme : non seulement ils semblaient penser que personne avant eux n'avait découvert Cézanne, mais encore ils négligeaient ce que Matisse admirait le plus dans son art. Alors qu'ils s'attachaient surtout à ce qui, chez lui, présageait le cubisme et à sa recommandation de « traiter la nature par le cylindre, la sphère, le cône », Matisse respectait en Cézanne la maîtrise de ses « constructions d'après nature. » Dans une toile de Cézanne, chaque partie est aussi importante que toutes les autres, aucune n'est superflue. C'est cette qualité de nécessité intérieure qui convainquit Matisse que le fauvisme, à cause de son défaut de préméditation, était impuissant à transmettre le poids de pensée et de sentiment dont il voulait charger sa peinture.

En 1907, Matisse décide de mettre le meilleur de lui-même dans une toile capitale qu'il intitule *Nature morte bleue*. Ce tableau est grand moins par ses dimensions (il mesure 88×114 cm) que par la plénitude et la complexité de ses intentions. C'est, en fait, un monumental hommage à Cézanne. Le sujet est l'un de ceux souvent traités par le maître d'Aix : une table un peu de biais par rapport au champ de vision ; une nappe froissée en plis profonds, à demi sur la table, à demi retombante ; des fruits, des bouteilles, des carafes. Mais, tandis que Cézanne réserve en général de grandes surfaces libres, utilisant le plan uni de la table pour mettre en valeur les formes nobles d'un oignon ou d'une pêche, Matisse remplit toute sa toile avec une sorte d'insistance décorative. Il recouvre la table d'une nappe à lourds motifs, la place sur un fond de papier mural imprimé de bouquets de fleurs et, au lieu de se limiter à quelques fruits parfaits, déverse sous nos yeux une abondance de pommes, d'oranges et de citrons.

Aussi, tout en étant un hommage à Cézanne, la *Nature morte bleue* évoque-t-elle, avec près de trois siècles de recul, les peintres hollandais de natures mortes du XVIIe siècle. Jan Davidz de Heem eût compris le plaisir que donnaient à Matisse cette abondance de fruits empilés, cette succulence des objets, cette richesse de matière et de décor —

A leur grande surprise, les étudiants de l'Académie Matisse découvrirent que le « roi des fauves » exigeait d'eux un apprentissage sérieux et traditionnel, comprenant l'étude de la sculpture d'après le modèle vivant *(au premier plan)*. « Notez avec soin les caractéristiques essentielles du modèle, leur disait-il. On doit les retrouver dans l'œuvre achevée. Sinon, c'est que vous aurez perdu en chemin le fil conducteur. » Sarah Stein et Hans Purrmann, les deux cofondateurs de l'école, se tiennent auprès de Matisse, qui est en train d'examiner le travail d'un étudiant.

lui qui, dit-on, s'établit à Anvers de préférence à Utrecht, pour la seule raison que les marchés d'Anvers lui offraient des fruits « que leur état de fraîcheur et de maturité rendaient plus propres à servir de modèles. »

Matisse n'ira pas jusqu'à quitter Paris dans le but de se procurer de plus belles poires comices — les marchés de la capitale ayant d'ailleurs tout lieu de le satisfaire — mais il accordera toujours une extrême importance à l'aspect des choses qu'il peint. Étant dans la gêne, il lui est souvent arrivé de dépenser en fleurs et en fruits plus d'argent que ne lui permettaient ses moyens. Et il prendra toujours un soin jaloux des accessoires figurant dans ses natures mortes, fussent-ils de simples souvenirs touristiques. On pourrait croire qu'il y a là de la sentimentalité, si Matisse n'avait pris soin de nous éclairer, peu de temps, d'ailleurs, après l'achèvement de la *Nature morte bleue* : « Copier les objets dont se compose une nature morte n'est rien. Ce qui importe, c'est d'exprimer la sensation qu'ils vous inspirent, l'émotion que suscite l'ensemble, les relations entre les objets représentés, le caractère spécifique de chacun d'eux, modifié par ses rapports avec les autres, le tout entrelacé comme une corde ou comme un serpent... »

Il s'adresse alors aux étudiants de son Académie. Cette Académie Matisse a finalement commencé à fonctionner dans les premiers mois de 1908. Michael Stein a donné sa garantie financière ; un local a été trouvé rue de Sèvres, dans l'ancien couvent des Oiseaux, et un nombre important d'étudiants de toutes nationalités s'y pressent. Au cours des trois années de son existence, l'école sera fréquentée au total par cent vingt élèves, dont quatre Français seulement. Il y a là des Suédois, des Polonais, des Norvégiens, des Allemands, des Hongrois, des Américains, des Anglais, un Islandais et un Japonais. Quelques-uns d'entre eux se feront un nom : Max Weber et Patrick Henry Bruce parmi les Américains, Béla Czobel parmi les Hongrois, Matthew Smith parmi les Anglais. La plupart sont des amateurs sans dons exceptionnels, qui ne s'illustreront jamais comme peintres, mais que leurs études artistiques enrichiront sur le plan simplement humain.

Pour environ dix francs par semaine, les élèves ont la disposition de l'atelier et d'un modèle, et l'assurance d'une correction hebdomadaire par Matisse. Cette correction a lieu le samedi, mais Matisse passe de temps en temps à l'Académie, quand il en a le loisir. Cette organisation très souple lui convient — il refuse même d'accepter des honoraires pour ses corrections — parce qu'elle lui permettrait éventuellement de se libérer si l'école devenait une trop lourde charge. C'est d'ailleurs ce qui arrive bientôt, car le nombre des élèves s'accroît si rapidement que l'Académie doit déménager dans des locaux plus vastes, ceux d'un autre ancien couvent, le Sacré-Cœur, boulevard des Invalides.

La plupart des élèves, ne connaissant de Matisse que son œuvre, crurent qu'ils jouiraient d'une liberté totale pendant ses cours. Le matin de l'ouverture, ils l'accueillirent en décorant l'atelier de toiles barbouillées des couleurs les plus criardes de leurs palettes. Dès son entrée, Matisse s'écria : « Qu'est-ce que c'est que toutes ces horreurs ? Enlevez-moi ça immédiatement! » Et il les soumit aussitôt à une série d'exercices académiques qui durent faire regretter à certains les leçons des Beaux-Arts. Il exigea que les mesures fussent prises avec exactitude et qu'on se servît de la règle et du fil à plomb. Il leur interdit d'utiliser la couleur n'importe comment et sans se soucier des rapports des tons entre eux. Le jour de la correction, il pouvait être terrible :

« Ils étaient doux comme des moutons, le samedi, dira-t-il plus tard, et il me fallait ensuite toute la semaine pour les persuader de redevenir des lions. »

Matisse n'a jamais pensé que l'art pouvait être rendu facile. Il a toujours travaillé douze heures par jour et ne connaît pas d'autre manière de prendre la peinture au sérieux. Lorsqu'il parle à ses étudiants, chacune de ses paroles est lourde d'années de méditation. Les notes de cours prises par Sarah Stein constituent un irremplaçable témoignage de la manière dont il conçoit sa tâche : « Rappelez-vous qu'une ligne seule n'existe pas. C'est seulement son rapport avec une autre qui permet de créer un volume. Vous devez donc tracer ces deux lignes d'un seul et même jet... Chaque chose doit être construite; faite d'éléments dissemblables, c'est à vous d'en réaliser l'unité. Un arbre est comme un corps humain, un corps humain est comme une cathédrale. » Il recommande à ses élèves d'étudier le sujet avec précision, puis de se fier à leur sensibilité : « Fixez votre impression dès le départ et tenez-vous à cette impression. C'est le sentiment qui compte avant tout. » A maintes reprises, il insiste sur la parenté des formes entre elles : « Rappelez-vous, dit-il encore, qu'un pied est un pont... Les bras sont comme des rouleaux d'argile mais, en revanche, les avant-bras ressemblent à des cordes, puisqu'on peut les nouer ou les tordre... Le pelvis suggère une amphore. »

Cette expérience pédagogique est aussi profitable à Matisse qu'à ses élèves. L'obligation de formuler sa pensée en termes clairs et succincts se révélera pour lui extrêmement précieuse. En décembre 1908, il va plus loin dans cette voie et publie dans *la Grande Revue* un article contenant les données essentielles de sa doctrine. Cet article et les notes de cours de Sarah Stein permettent de comprendre la démarche intellectuelle de Matisse, la structure même de sa pensée : comment il procède à l'analyse d'une figure, la décompose en différentes parties puis la reconstruit; comment il s'efforce de dépasser le stade initial des « effets pleins d'agrément » pour arriver à « cet état de condensation des sensations » qui accompagne la parfaite et totale maîtrise d'un sujet. Selon lui encore, « une œuvre doit porter en elle-même sa signification et l'imposer au spectateur avant même qu'il en connaisse le sujet. Quand je vois les fresques de Giotto à Padoue, je ne m'inquiète pas de savoir quelle scène de la vie du Christ j'ai devant les yeux mais, tout de suite, je comprends le sentiment qui s'en dégage car il est dans les lignes, dans la composition, dans la couleur, et le titre ne fera que confirmer mon impression. »

Matisse, quant à lui, souhaite que son œuvre soit une source de sérénité. « Ce que je rêve, a-t-il écrit, c'est un art d'équilibre, de pureté, de sérénité, sans sujet inquiétant ni préoccupant, qui soit pour tout travailleur cérébral, pour l'homme d'affaires aussi bien que pour l'artiste des lettres, par exemple, un lénifiant, un calmant cérébral, quelque chose d'analogue à un bon fauteuil qui le délasse de ses fatigues physiques. » Comparée à l'idéal d'un Gauguin, d'un Van Gogh ou d'un Munch — ces peintres résolus à transformer le monde —, l'ambition de Matisse semble courte et frivole. Sa véritable pensée est cependant beaucoup plus profonde. Lorsqu'il parle d'un « art d'équilibre », Matisse songe à un art susceptible d'évoquer une condition humaine idéale, une image de l'homme réconcilié avec lui-même et avec la société. Au cours des années qui précèdent 1914, Matisse va atteindre ce but : dès lors, l'art et la conception même de l'art s'en trouveront changés.

Les collectionneurs intrépides

Il faut aujourd'hui beaucoup d'argent pour acheter un Matisse. Il y a quelque soixante ans, il fallait, non pas tant de la fortune, mais du courage, de la confiance en la nouveauté et un peu de clairvoyance artistique. Au début du siècle, ces qualités semblent presque totalement absentes, en France, chez les collectionneurs et les directeurs de galeries, qui regardent Matisse comme un extrémiste fourvoyé — et sûrement pas comme un bon placement. Lors de leurs rares expositions, ses tableaux sont tournés en dérision pour leurs couleurs invraisemblables et leur dessin rudimentaire; ils ne trouvent pratiquement aucun acquéreur.

Heureusement pour Matisse, ce mépris n'est pas universel. Il représente à Paris, pour de jeunes artistes, un pôle d'attraction puissant, et cet enthousiasme se communique à un groupe, restreint et assez imprévu, de collectionneurs, où prédominent les Américains et les Russes. Ils lui achètent ses tableaux, lui donnant, outre l'argent dont il a un besoin si désespéré, le réconfort psychologique d'un encouragement extérieur. Ces étrangers intrépides sont des hommes et des femmes cultivés, que stimule le climat du Paris de l'avant-garde. Tous sont fortunés et s'intéressent à l'art contemporain en « amateurs », au meilleur sens du terme, parce qu'ils aiment un artiste et croient en lui. Mais ce qu'ils achètent pour quelques centaines de francs en vaut maintenant des centaines de milliers. L'histoire de l'art retiendra le nom de ces hardis pionniers qui furent les premiers à reconnaître le génie de **Matisse.**

Ce vigoureux autoportrait, peint par Matisse à l'âge de trente-sept ans, fut acquis par deux de ses plus fidèles collectionneurs américains, Michael et Sarah Stein. Enthousiasmée par l'art de Matisse et par ses dons d'expression verbale, Sarah Stein réussit à convaincre l'artiste d'ouvrir une académie, qu'elle l'aida à diriger pendant environ trois ans.

Autoportrait en maillot rayé, 1906

Henri-Matisse

Michael Stein   *Sarah Stein*

Parmi les collectionneurs américains, ceux qui contribuent le plus aux premiers succès de Matisse sont les Stein, famille d'expatriés excentriques et résolument individualistes, comprenant le frère aîné Michael et sa femme Sarah, le frère cadet Léo et la sœur Gertrude. A une époque où Matisse est vilipendé par le public français, les Stein lui achètent de nombreuses toiles, dont celles reproduites ici. C'est par leur intermédiaire que l'artiste trouvera d'autres amateurs. Léo et Gertrude sont de brillants intellectuels, qui encouragent écrivains, poètes et peintres, mais c'est auprès de Michael et de Sarah, gens plus paisibles et plus réservés, que Matisse se sent le plus à l'aise.

La Joie de vivre (étude), 1905

La Musique (ébauche), 1907

Harriet Levy

Dr. Claribel Cone

Etta Cone

Au nombre des premiers partisans de Matisse se trouvent trois demoiselles américaines, dont l'artiste a fait la connaissance grâce aux Stein. L'autoritaire Claribel Cone, de Baltimore, est l'une des premières femmes des États-Unis à avoir obtenu son diplôme de docteur en médecine. Sa sœur Etta et une amie, Harriet Lane Levy, de San Francisco, ont des caractères plus réservés. Les toiles qu'elles achètent à Matisse enrichiront plus tard le musée de leur ville natale respective.

Jeune fille aux yeux verts, 1909

Les Pêches et le pot d'étain, 1916-1917

Serge I. Chtchoukine

C'est le Russe Serge Chtchoukine, importateur de textiles et amateur passionné d'art moderne, qui permettra à Matisse de réaliser les plus importantes de ses premières ventes, ainsi que plusieurs grandes commandes. Né dans une famille fortunée d'amateurs d'art — ses quatre frères ont réuni une belle collection de maîtres anciens —, Serge s'intéresse à tout ce qui est nouveau et différent. Les murs de son palais baroque de Moscou se couvrent d'audacieuses toiles modernes, et il ne craint pas du tout d'acheter les tableaux les plus critiqués de Matisse; ils lui plaisent même au point de les retenir avant que leur peinture soit sèche. Mais cette clairvoyance ne lui vaut pas le respect des milieux artistiques parisiens qui le surnomment sans la moindre bienveillance « le Russe fou ».

La Desserte, harmonie rouge, 1908-1909

Mme Matisse, 1913

La Famille du peintre, 1911

La Conversation, 1909

87

Chtchoukine éprouve tant d'admiration pour Matisse qu'il lui commande, en 1909, deux toiles géantes, *la Danse* et *la Musique* *(ci-dessous)*. Larges d'environ 3,90 m, elles sont destinées à décorer les paliers d'escalier de la demeure moscovite du collectionneur. Pour le thème de *la Danse*, Matisse s'inspire de *la Joie de vivre*, d'où il extrait la ronde de l'arrière-plan, et recourt de nouveau aux souvenirs des sardanes qu'il a vu danser dans le Midi. Mais, alors que la sardane comporte des pas compliqués et d'une précision quasi mathématique, *la Danse* de Matisse s'anime d'une si exubérante vitalité que l'artiste en sera, à plusieurs reprises, lui-même frappé : dans son atelier, la toile,

sous les rayons du soleil couchant, semble se mettre à frémir. Il a fait porter tous ses efforts sur l'intensité de la couleur et dira plus tard qu'il a soigneusement choisi « un beau bleu pour le ciel, le plus beau des bleus... le vert de la colline et le vermillon vibrant des corps ».

La Musique rappelle également une œuvre antérieure *(page 83)*, où deux figures, emportées par le rythme, se sont mises à danser. Ici, au contraire, l'artiste a accentué l'expression de concentration et de rêverie intime des auditeurs. Le mouvement fait place à l'immobilité, créant ainsi un saisissant contrepoint à la frénésie de *la Danse*. Dans ces deux compositions, le dessin de Matisse,

sans modèle ni perspective, est d'une simplicité voulue. Ainsi, dit-il, « nous arrivons à la plus haute sérénité par la simplification des idées et des moyens plastiques. Notre unique idéal est leur homogénéité ».

Matisse ira à Moscou accrocher ces toiles chez Chtchoukine, où elles demeureront jusqu'à la révolution soviétique de 1917. Chtchoukine se réfugia en France, mais ses collections seront confisquées, et quelques-uns des plus beaux Matisse deviendront ainsi la propriété d'un pays officiellement hostile aux aventures modernes dans le domaine de l'art. *La Danse* et *la Musique*, exposées au musée de l'Ermitage, se présentent dans la perspective ci-dessous.

MUSÉE DE L'ERMITAGE, LENINGRAD

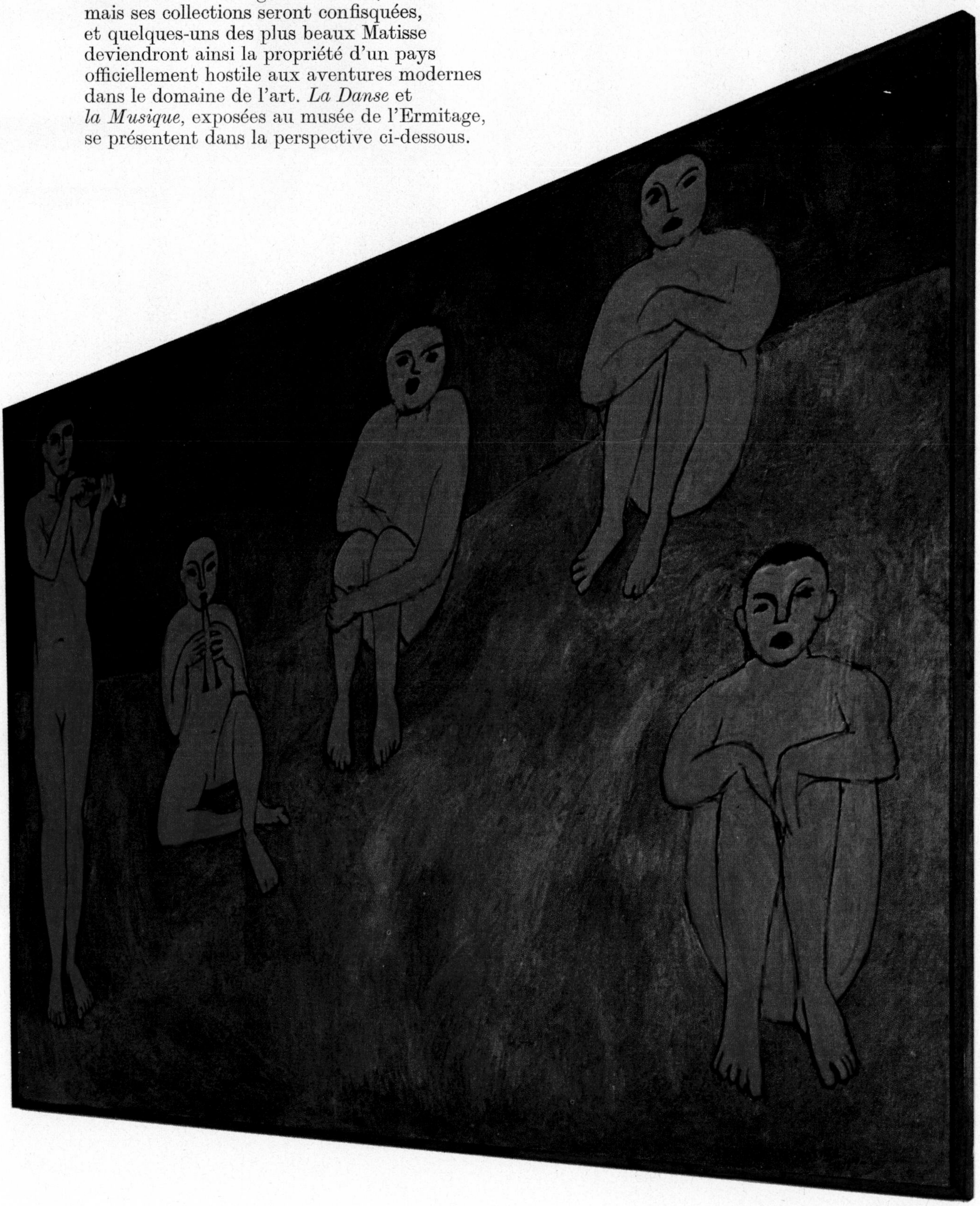

La Danse et *la Musique*, 1910

Demoiselles à la rivière, 1916-1917

A l'époque où des collectionneurs étrangers s'intéressent à Matisse, celui-ci peint certains tableaux qu'il ne vend pas. Il n'exposera les deux toiles reproduites ici que de nombreuses années après leur achèvement. Peut-être voulait-il les garder, ou en avait-il besoin, parce que chacune représentait pour lui une étape significative.

Elles sont exécutées alors que la guerre sévit en Europe et que la vie artistique de naguère a disparu. Les expositions sont rares, les collectionneurs français plus rares encore, et Matisse éprouve des difficultés croissantes à se maintenir en contact avec ses amateurs étrangers. En revanche, ces circonstances lui permettent de travailler pendant plusieurs années à des œuvres à la fois trop grandes et trop difficiles pour n'importe quel acquéreur. La toile des *Demoiselles à la rivière* mesure un peu moins de 4 m de long; il se peut que le thème lui en ait été inspiré par les *Baigneuses* de Cézanne qu'il aura si longtemps en sa possession, mais on y trouve aussi des souvenirs de paysages d'Afrique du Nord. Les lames acérées des feuillages, la violence contrastée de l'ombre et de la lumière, l'énigmatique et peut-être dangereux petit serpent, ce sont là de subtiles réminiscences africaines. Le tableau des *Marocains* est une évocation plus directe et envoûtante encore de ce pays qu'il a appris à aimer au cours de ses deux voyages de 1912 et 1913. Cette œuvre, la plus abstraite qu'il ait créée jusqu'ici, se compose de trois parties : en haut, à gauche, dominée par des constructions typiquement nord-africaines, la coupole d'une mosquée et une terrasse avec une jarre de fleurs; au-dessous, des personnages, en burnous et turbans, prosternés; à droite, un Marocain, ou plutôt des formes suggérant celles d'un Marocain. Il importe d'étudier longuement ce tableau pour apprécier tout ce que Matisse y a mis — et omis. L'artiste lui-même trouvait difficile de l'expliquer avec des mots : c'était pour lui le commencement de son expression par la couleur, par les noirs et leurs contrastes.

Les Marocains, 1916

V

L'amateur d'art
par excellence

Cette scène d'intérieur à la
fenêtre ouverte est la plus
belle de toutes les scènes
peintes par Matisse. Elle
représente sa chambre de l'hôtel
Beau-Rivage à Nice; elle nous
révèle la fascination du peintre
pour la rayonnante lumière
méditerranéenne et ses durs
contrastes d'ombres. Sur cet
arrière-plan de mer ensoleillée,
la persienne et les murs
intérieurs ressortent en noir,
tandis que le violon de
Matisse luit comme
un joyau dans son étui
doublé de tissu bleu.

Intérieur au violon, 1917-1918

En 1909, Matisse dispose d'un marché assuré pour ses tableaux, et son
prestige ne cesse de grandir — du moins à l'étranger car, en France,
l'admiration que certains prétendent éprouver pour lui ne va pas jusqu'à
se matérialiser sous forme de chèques. Il s'est acquis le soutien actif
d'un groupe d'Américains épris de modernisme; des dizaines de Scandinaves fréquentent son Académie et, grâce à son amitié avec le peintre
allemand Hans Purrmann, plusieurs de ses toiles sont entrées dans des
collections allemandes ainsi qu'à la galerie Cassirer de Berlin qui, au
cours de l'hiver 1908-1909, a organisé pour lui une exposition individuelle. Ceux qui connaissent son œuvre considèrent Matisse, âgé
maintenant de quarante ans, comme le plus grand artiste de l'époque.
Gertrude Stein écrit que « ses fidèles disciples allemands lui envoyèrent
des vins du Rhin, et un magnifique chien policier allemand, le premier
de cette race qu'aucun de nous ait vu. » L'archéologue américain
Thomas Whittemore, lors de l'ouverture de l'exposition à la galerie
Cassirer, lui fait parvenir « la plus grande couronne de laurier que l'on
eût jamais tressée », accompagnée d'un beau ruban rouge. Sur quoi,
raconte toujours Gertrude Stein, Matisse déclara d'un ton lugubre :
« Mais enfin, je ne suis pas encore mort! », tandis que Mme Matisse
s'emparait du ruban rouge pour mettre dans les cheveux de sa fille et
des feuilles de laurier pour assaisonner ses soupes.

Cette réputation grandissante pose de plus en plus de problèmes à
Matisse. Certes, son appartement et son atelier sont maintenant situés
dans l'une des plus belles maisons de Paris, l'ancien couvent du Sacré-
Cœur, mais, du fait de la proximité immédiate de son Académie, il se
sent obsédé par ses obligations professorales, réelles ou imaginaires.
Aussi se met-il à chercher une autre résidence et, au cours de l'été
de 1905, il découvre à Issy-les-Moulineaux — en pleine campagne,
à l'époque — une villa qui n'est qu'à un quart d'heure de taxi du centre
de Paris. C'est une maison carrée de deux étages, entourée d'un grand
jardin, avec un bassin, une serre et des allées qui serpentent entre
des pelouses. Elle a vue sur des bois et des vergers plantés de pommiers
et de poiriers, et possède une salle de bain, élément de confort moderne
que les Matisse, selon Gertrude Stein, « appréciaient fort, à cause de
leurs contacts avec les Américains », tout en se hâtant d'ajouter qu'ils
« avaient toujours été scrupuleusement propres et bien tenus. » En

tout cas, cette maison, aujourd'hui encore, est une vraie maison de campagne, si proche de Paris qu'on pourrait s'y rendre à pied. Matisse qui, cinq ans plus tôt, se trouvait dans la misère, parlera de cette charmante propriété comme de « notre petit Luxembourg ».

L'un des premiers soins du peintre est de construire dans le jardin un vaste atelier préfabriqué, qu'il achète sur la suggestion d'un nouvel ami américain, le photographe Edward Steichen. Cet atelier lui est d'ailleurs devenu indispensable à la suite d'une commande que lui a passée le collectionneur russe Serge Chtchoukine qui, très vite, va devenir le client le plus important de Matisse. Le physique de Chtchou-kine n'est pas en sa faveur : c'est un petit homme plutôt timide, dont l'énorme tête disproportionnée est affligée d'une expression qu'un ami malveillant qualifie de porcine. Ce défaut n'est pas racheté par sa conversation, du moins à la première rencontre, car Chtchoukine souffre d'un bégaiement aussi pénible pour son interlocuteur que pour lui-même. Mais, en tant que collectionneur, le Russe a trois atouts majeurs. Deux lui sont personnels : son œil est infaillible et sa fortune illimitée; le troisième, plus important encore peut-être, est lié à son milieu social : Chtchoukine appartient à une société où l'art n'a pas d'histoire. La Russie est pratiquement passée sans transition de l'art religieux médiéval au réalisme du XVIIIe siècle, introduit par décision de Pierre le Grand. C'est pourquoi Chtchoukine, lorsqu'il commence sa carrière de collectionneur, est totalement dépourvu d'idées pré-conçues et de préjugés traditionnels.

Dans la demeure de Serge Chtchoukine à Moscou, un seul salon renfermait une vingtaine des 37 toiles de Matisse acquises par l'amateur russe. La photographie ci-dessous nous permet de voir de cette « salle Matisse » une partie de la grande collection d'art moderne de Chtchoukine, dans le somptueux décor rococo de ce palais de l'ancienne Russie.

Au moment où il rencontre Matisse, il y a dix ans déjà qu'il fait preuve d'un parfait discernement. A l'époque où la plupart des Français n'acceptent des toiles modernes que si on leur en fait cadeau, Chtchoukine a acheté des Gauguin, des Cézanne, des Renoir et même des tableaux signés de noms encore moins connus, tels que Édouard Vuillard, Odilon Redon et Henri Rousseau. Personne ne sait d'où lui vient l'argent de toutes ces acquisitions, et encore moins à quel chiffre se monte sa fortune personnelle. Mais il est notoire qu'il se livre au commerce de produits rares et recherchés, depuis la meilleure qualité de thé jusqu'aux tissus les plus somptueux. Et il faut croire qu'il les achète à bon marché et les revend très chers, car ses ressources semblent inépuisables.

L'une des plus grandes joies de Chtchoukine est de prendre le train express qui, du sud-ouest de Moscou, s'ébranle majestueusement en direction de Paris et, à son arrivée, après quelques jours de voyage, de se précipiter dans les galeries d'art. Il voue à la peinture une authentique passion. Pour Léo Stein, un tableau est le prétexte de discours improvisés qui durent aussi longtemps que la patience de son auditoire; pour Chtchoukine, c'est un sujet de recueillement et de méditation. Sir Kenneth Clark fit un jour la remarque que rares sont les personnes qui savent regarder un tableau pendant plus de temps qu'il n'en faut pour peler une orange et la manger. Chtchoukine appartient à cette minorité : il peut regarder un tableau pendant des heures et ne cesser d'y trouver un enrichissement.

A cet amour inné de l'art se joint chez lui l'enthousiasme d'un idéal civique. Il est l'un des membres les plus actifs d'un petit groupe de riches Moscovites qui souhaitent voir Moscou supplanter Saint-Pétersbourg en tant que capitale culturelle de la Russie. Comparée à l'aristocratique Saint-Pétersbourg, Moscou est alors une ville vulgaire, sale et commerçante, préoccupée avant tout de faire des affaires et de gagner de l'argent. Elle est ouvertement hostile au mode de vie à l'européenne si florissant chez sa rivale, aux pelouses et aux gouvernantes anglaises, à la cuisine française, à la rigueur germanique en matière d'éducation et d'art. Alors que Saint-Pétersbourg l'extravertie cherche son inspiration en Europe occidentale, Moscou l'introvertie cherche la sienne dans sa propre tradition orientale, dans l'art populaire, les icônes, les légendes et le folklore de la Vieille Russie.

Chtchoukine et les autres membres « éclairés » de son groupe ont décidé d'exploiter cette tradition et de créer un mouvement artistique véritablement national. Sans eux, il n'y aurait eu ni opéra russe, ni théâtre naturaliste russe, ni révolution de la scénographie russe. Le richissime Savva Mamontov, en particulier, qui a fait fortune dans les chemins de fer, réussira à lui seul à modifier l'orientation future de la musique, de l'architecture, du théâtre et de la peinture. Il transforme sa propriété de campagne en une sorte d'atelier dédié aux arts et à l'artisanat russes, finance un théâtre, commande les décors et les costumes de ses productions à des artistes russes, subventionne la modernisation de l'Opéra de Moscou et y fait engager des artistes de grand talent, tel Feodor Chaliapine. Lorsque les commissaires artistiques du tsar refusent d'exposer l'œuvre d'un jeune peintre russe répondant au nom de Mikhaïl Wroubel, sous le prétexte qu'il est « trop moderne », Mamontov fait construire un pavillon uniquement pour abriter cette exposition.

Les mobiles de Mamontov sont presque totalement philanthropiques : ce qu'il veut, c'est élever le niveau de la qualité professionnelle, ranimer chez les Russes la conscience des ressources de leur culture ancestrale, donner à tous la possibilité d'une vie plus riche et plus intense. D'une façon moins ambitieuse, c'est aussi le but que poursuit Chtchoukine. Sa demeure au décor somptueux et quasi oriental, située dans le centre de Moscou, est ouverte au public pour des concerts de musique de chambre, et quiconque désire contempler sa collection de tableaux y est le bienvenu. L'art français contemporain s'y trouve représenté mieux qu'en aucun musée de l'époque, et les quatorze toiles de Gauguin accrochées dans la salle à manger de Chtchoukine restent aujourd'hui encore le plus bel ensemble des œuvres de cet artiste qu'il soit donné de voir au monde.

C'est vers 1904 que Chtchoukine achète sa première toile de Matisse, dont il ne fera la connaissance que quelques années plus tard, chez Léo et Gertrude Stein. Plus lent que les Stein à apprécier les premières peintures fauves, il les dépasse très vite — et dépasse d'ailleurs tout le monde — par son enthousiasme pour les créations les plus hardies de Matisse. Il n'a pas, comme les amateurs occidentaux, la tentation de juger son œuvre par rapport aux traditions artistiques de l'Europe occidentale. Ces critères n'ont pas cours en Russie. Lorsque Matisse abandonne le modelé et la perspective, Chtchoukine n'en est nullement choqué : les grands peintres d'icônes de la Russie des XIVe et XVe siècles ne s'en étaient pas souciés non plus. Lorsque Matisse construit ses toiles à partir d'aplats de couleur intense, Chtchoukine se réjouit : c'est ainsi que travaillaient également les peintres d'icônes. Il se réjouit encore et pour la même raison lorsque Matisse sertit ses figures dans leur décor à la façon des mosaïques. Et, lorsque Matisse introduit dans son œuvre des motifs d'art musulman, Chtchoukine apprécie aussitôt ses intentions, car entre l'art russe et l'art islamique existe une naturelle affinité.

Chtchoukine est donc pour Matisse l'amateur idéal, et il entre dans sa vie juste au bon moment, à l'époque où l'artiste amorce ce qu'il appellera plus tard la « période des acquisitions nouvelles. » Il s'agit là à la fois d'expériences personnelles vécues au cours de ses voyages, et d'expériences de modes d'expression nouveaux, qui constituent le fruit d'années de méditation. Mais il pourrait s'agir également d'acquisitions de tout autre nature. Matisse commence à être connu du grand public — ne serait-ce que par les inscriptions injurieuses qui s'étalent sur les murs de Montparnasse : « Matisse rend fou », ou « Matisse est plus dangereux que l'absinthe. » Il se trouve soudain promu au rang de personnalité controversée mais indispensable de l'art moderne international. Au début de 1908, à New York, la galerie d'Alfred Stieglitz lui consacre une petite exposition individuelle et, vers la même époque, il participe à une exposition collective à Londres. Au printemps de 1908, il est représenté dans une exposition de peinture française moderne à Moscou et, au cours de l'hiver 1908-1909, a lieu sa grande exposition individuelle à la galerie Cassirer de Berlin. En 1909, ses élèves scandinaves organisent à Stockholm une exposition de son œuvre, dont le retentissement se prolongera dans toute la Scandinavie pendant plus de dix ans.

Mais ce que l'énoncé de ces faits peut avoir de brillant est contrebalancé, dans presque chaque cas, par la haine, l'envie, l'incompréhension stupide des milieux officiels, de la presse et même des autres artistes. Lorsque Matisse se rendit à Berlin pour le vernissage de son exposition

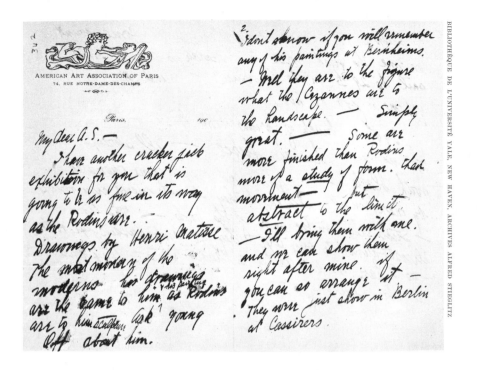

« J'ai une autre exposition formidable à vous proposer... Des dessins d'Henri Matisse, le plus moderne des modernes... » Tels sont les termes de la lettre que Edward Steichen, photographe et peintre amateur, envoie à son ami et conseiller Alfred Stieglitz, à New York. Celui-ci, pionnier de la photographie artistique, est également un champion de l'avant-garde dans tous les domaines, et sa galerie de la Cinquième Avenue présentera au public américain la plupart des grands peintres et sculpteurs modernes. Le 6 avril 1908, Stieglitz ouvre l'exposition des « Dessins, lithographies, aquarelles et gravures de M. Henri Matisse, de Paris. » C'est la première exposition publique de l'artiste aux États-Unis.

à la galerie Cassirer, l'odieuse attitude du public fut pour lui une terrible épreuve, et l'exposition se solda presque par un échec; l'hostilité qu'elle souleva prit de telles proportions qu'il fallut décrocher les toiles sitôt que Matisse fut rentré sain et sauf chez lui. Aucun des artistes ni des critiques engagés dans le mouvement moderne — et Berlin en comptait un bon nombre — ne prit sa défense. L'article le moins défavorable publié à son sujet se terminait en disant que la seule réaction possible devant tous ces tableaux était un « énorme et irrésistible fou rire ». Rien d'étonnant à ce que le peintre, dans les rues de Berlin, ait eu l'impression que les façades le guettaient de tous leurs yeux comme pour se jeter sur lui et l'avaler.

A Londres et à New York, les critiques furent non moins déprimantes, mais du moins lui fut-il épargné de s'y rendre en personne. Le critique londonien du *Burlington Magazine* écrivit que « chez M. Matisse, le sujet et la façon de le traiter sont également infantiles », et le critique américain de l'*Evening Mail* déplora que ses figures féminines fussent « si hideuses qu'elles semblent condamner l'esprit de cet homme aux limbes de la dégénérescence artistique ». Même James Gibbons Huneker, le plus subtil critique des États-Unis, s'en prit aux études de nus de l'artiste, en les qualifiant de « réminiscences du ruisseau et du lupanar ». A Paris, dans un commentaire anonyme sur le Salon d'Automne de 1908 paru dans *la Nation*, on lisait que les toiles de Matisse outrageaient le regard autant que l'intelligence.

C'est alors que Matisse voit se ranger à ses côtés un champion inattendu en la personne du grand chantre des maîtres anciens, le critique et historien d'art Bernard Berenson. Celui-ci, répondant à l'article de *la Nation*, proteste que, loin d'être un mystificateur, Matisse, « après vingt années de très sérieuses recherches, a enfin découvert la voie royale suivie par tous ceux qui se sont distingués dans les arts plastiques depuis soixante siècles au moins. [Matisse] est un dessinateur exceptionnel et un maître de la composition. Quant à sa couleur, je ne me risque pas à en parler. Non qu'elle me déplaise, loin de là. Mais je peux mieux comprendre qu'on y reste tout d'abord insensible; car la couleur est une chose dont... nous ne sommes pas encore très sûrs — et nous nous effarouchons facilement de tout ce qui s'écarte, si peu que ce soit, de nos habitudes ».

Berenson voit juste au sujet de la couleur de Matisse ; elle s'écarte en effet de l'habituel, et elle s'en écartera de plus en plus à mesure qu'il saura exploiter ses « acquisitions nouvelles ». De ses voyages en Afrique du Nord, par exemple, il a gardé le souvenir des effets de la luminosité intense sur la couleur et sur le volume. En Europe, où la lumière est avare et variable, les peintres se sont efforcés pendant des siècles de traduire les volumes dans leurs moindres détails par le modelé et la profondeur des ombres. Mais la forte lumière africaine aplanit toute chose, effaçant aussi bien les rugosités d'un mur de brique que les plis d'un vêtement. Lorsqu'on se promène dans une ville d'Afrique du Nord, la vue ne retient qu'un ensemble de surfaces aux couleurs tranchées, les unes comportant des lignes, les autres unies, mais toutes absolument plates.

Matisse n'est pas le premier peintre à constater ce fait, mais il sera le premier à en tirer parti pour son œuvre de façon systématique. Il a longtemps et consciencieusement essayé d'utiliser la couleur à la manière des maîtres anciens — c'est-à-dire en respectant les données de l'expérience universelle. Mais, maintenant, à l'âge de quarante ans, il se sent assez mûr pour faire entrer la peinture dans une phase nouvelle. Ce qu'il veut, c'est libérer la couleur, l'affranchir de son rôle subalterne et lui reconnaître un statut autonome, aussi dira-t-il à un ami que la couleur nous a été donnée, non pour imiter la nature, mais pour exprimer nos émotions.

Il lui faut aussi libérer l'art du subterfuge de la perspective. Pendant des siècles, les peintres des pays occidentaux ont pris une peine infinie pour convaincre le spectateur qu'un tableau est une chose où le regard doit plonger, une fenêtre ouverte sur un monde en profondeur, semblable à une fenêtre réelle ouverte sur l'extérieur. Mais les artistes n'ont pas toujours obéi à cette conception. L'art musulman, les peintures rupestres préhistoriques, les tableaux et les fresques de l'Europe des XIIe et XIIIe siècles ne montrent aucun souci de la perspective. On ne s'efforçait pas alors d'ajuster aux normes de l'expérience quotidienne le sujet traité et, chose curieuse, ce sont les effets de perspective classique, non les œuvres primitives, qui nous paraissent aujourd'hui périmés et artificiels. Il y a dans une miniature persane, une peinture rupestre de Dordogne ou un retable médiéval, une qualité de fraîcheur et de spontanéité qui situe ces œuvres hors du temps. Malgré tout ce qu'on peut dire ou faire, une peinture reste toujours une surface plane. La nouvelle position de Matisse pourrait se résumer ainsi : une toile est un plan, admettons-le une fois pour toutes.

L'une des premières œuvres qui illustrent cette conception est *la Desserte, harmonie rouge (page 86)*, composition dont le titre musical ne peut être purement fortuit : Matisse dira plus tard qu'il a voulu jouer avec des aplats colorés et placer ses surfaces comme un compositeur plaque ses accords. Matisse joue du violon, et il est assez bon musicien pour savoir ce dont il parle ; il pense sans doute à l'assurance et la facilité avec lesquelles un grand compositeur annonce le changement de mouvement d'un passage musical grâce à deux ou trois accords. A cet égard, la musique est un moyen d'expression plus rapide et plus efficace qu'aucun autre. Et elle excelle en particulier à évoquer cette atmosphère de vie paradisiaque que l'on retrouve justement dans un très grand nombre des plus belles toiles réalisées par Matisse.

Chtchoukine achète *la Desserte, harmonie rouge* dans l'atelier du peintre, avant qu'elle soit exposée. A ce moment, sa dominante n'est d'ailleurs pas rouge mais bleue et, à un stade antérieur, elle avait été verte. Matisse s'est probablement fixé en définitive sur ce ton rouge cerise vibrant pour intensifier le sentiment de vitalité et de bien-être qu'il veut exprimer. Ce tableau est pour l'essentiel une variation exécutée sur un thème français classique : une table couverte des vestiges d'un repas plantureux. Ce thème, Matisse l'a déjà traité deux fois au moins, dans *la Serveuse bretonne (page 24)*, en 1896, et dans *la Desserte (pages 24-25)*, en 1897. Nous retrouvons ici les carafes de vin à demi vides, une ou deux chaises, une servante penchée sur la table, une fenêtre ouverte sur un paysage; nous y retrouvons aussi la même impression de confort bourgeois. Des convives se sont assis là pour partager les plaisirs de la bonne chère, et maintenant la serveuse — que l'on devine prompte à la répartie comme à la besogne, dans la grande tradition d'ailleurs des servantes françaises — s'active à diverses tâches ménagères. Tout est exactement à sa place.

Dans l'*Harmonie rouge*, toutefois, le bonheur de vivre se traduit moins par les objets que par la couleur. Alors que *la Desserte* de 1897 utilisait l'éclat de la porcelaine, de l'argenterie et des cristaux et le raffinement de chaises de style, pour suggérer l'abondance et le bien-être, l'*Harmonie rouge* se contente de la seule richesse impérieuse de cette dominante rouge. On dirait même que le tableau n'est formé que d'une seule grande feuille plane de cette couleur, que l'artiste aurait pliée une première fois en suivant la ligne d'intersection du mur et de la table, et une seconde fois là où la nappe retombe du bord de la table. Mais Matisse a minimisé l'effet de ces changements de plans en couvrant le mur et la table des mêmes motifs décoratifs. Ces motifs, des corbeilles de fleurs encadrées de rinceaux onduleux figurant des guirlandes, rappellent la disposition traditionnelle de la toile de Jouy, la simplification des rinceaux eux-mêmes affectant la forme de quelque luxuriante paire de bois de cerf.

Le paysage aperçu par la fenêtre ne présente, lui non plus, aucune profondeur. C'est un paysage de printemps : quelques feuilles vertes sur les buissons, des fleurs dans l'herbe et une fine poussière de neige attardée sur les arbres en fleur. Mais nul modelé, nulle modulation d'éclairage n'indiquent le relief du sol. Au lieu de recourir à la perspective pour construire sa composition, Matisse introduit une série d'analogies formelles. Le toit de la maison entrevu par la fenêtre suit le même contour que le haut du dossier de la chaise au premier plan; les ramifications des branches d'arbres font écho à la courbure des rinceaux qui décorent le mur et la table; les tiges des fleurs du tissu sont indiquées avec la même économie de moyens que la chevelure de la servante. Mais, avant tout, la cohérence de l'*Harmonie rouge* est assurée grâce à ses accords de couleur pure — accords pleins, sonores, parfaitement unifiés, qui traduisent avec précision l'effet recherché par Matisse.

Chtchoukine accrocha *la Desserte, harmonie rouge* au mur de sa salle à manger, perpendiculairement à une longue suite de Gauguin. Pendant toute l'année 1908, il continua à acheter des tableaux à Matisse mais, en même temps, commença à l'entretenir d'une commande spéciale. Lors de ses visites chez les Stein, il avait remarqué une petite toile de Matisse, datée de 1907 et intitulée *la Musique (page 83)*. Le sujet en était analogue à celui de *la Joie de vivre*, mais sans présenter la même complexité d'intentions et de composition. A gauche, un homme nu, debout, jouait du violon; à droite en bas, un personnage assis écoutait; derrière, en plan moyen, deux figures féminines enlacées dansaient. C'était un tableau curieusement inachevé — Matisse d'ailleurs le qualifiait d'ébauche — mais quelque chose lié au dépouillement sculptural de l'œuvre fit pressentir à Chtchoukine que Matisse pourrait fort bien être l'homme dont il avait besoin pour réaliser le décor mural de la cage d'escalier dans sa résidence de Moscou. Informé de ce projet, Matisse s'y intéressa et, au cours de l'hiver 1908, il exécuta une esquisse de décor presque en grandeur réelle, qu'il intitula *la Danse (page 88*; version définitive).

L'esquisse représente cinq personnages dansant une ronde. Les corps sont d'une agréable couleur beige à peine teintée de rose pour suggérer la vigueur de l'effort, effort qui n'absorbe pas les danseurs au point de les empêcher de tourner la tête pour regarder l'effet qu'ils produisent. La danse est fort à l'honneur dans le Paris de cette époque : les Ballets russes de Serge de Diaghilev allaient bientôt passer leur première saison en Europe occidentale, et Isadora Duncan est au faîte de sa gloire. Matisse ne l'ignore apparemment pas, mais son inspiration reste fidèle au souvenir d'une danse paysanne authentique : *la Danse* procède de la ronde qu'on entrevoit à l'arrière-plan de la *Joie de vivre*. Cette dernière dérive elle-même de la sardane, danse catalane que Matisse a eu l'occasion de voir exécuter naguère par les pêcheurs, le soir, sur la plage de Collioure.

Cette esquisse enchante Chtchoukine à tel point qu'il emmène Matisse au restaurant Larue pour lui exposer un projet plus ambitieux encore. Au lieu d'une seule composition murale pour son escalier, il lui propose d'en créer trois, une pour chaque palier. Chacune, comme Matisse l'expliquera plus tard à un ami, devant évoquer une atmosphère totalement différente : « J'ai à décorer un hôtel particulier de trois étages. J'imagine le visiteur qui y entre : devant lui le premier étage. Il lui faut faire un effort pour monter, il a besoin d'être revigoré. C'est pourquoi le premier panneau représentera une danse sur le sommet d'une colline. Au second étage, on est au cœur de la maison où règne le calme. J'y vois une scène de musique avec des auditeurs attentifs; enfin, au troisième étage, c'est le repos complet, et j'y peins des personnages étendus dans l'herbe, rêvant et méditant. J'obtiendrai tout cela par les moyens les plus simples, ceux qui permettent au peintre d'exprimer de la manière la plus efficace sa vision intérieure... » *La Danse* se limitera donc à trois couleurs : « Un beau bleu pour le ciel, le plus beau des bleus... le vert de la colline et le vermillon vibrant des corps. »

De Moscou, Chtchoukine confirme à Matisse sa commande de *la Danse* et lui demande un projet pour le second panneau, *la Musique*. Le prix convenu pour *la Danse* est de quinze mille francs, celui de *la Musique* de douze mille francs. Cette double commande constitue de loin la plus importante transaction traitée par Matisse jusqu'à ce jour. Elle marque aussi un tournant décisif de sa carrière. Mais les choses n'allèrent pas sans encombre. L'artiste aurait dû en avoir le pressentiment lorsque, de Moscou, Chtchoukine lui écrivit : « Je trouve votre panneau *la Danse* d'une telle noblesse que j'ai pris la résolution de braver notre opinion bourgeoise et de mettre sur mon escalier un sujet avec LE NU. » Mais il n'y prit pas garde et, dans la version finale du

THE MUSEUM OF MODERN ART, NEW YORK

La Serpentine, cette statuette de Matisse qui figure également dans la photographie de l'artiste *(ci-dessous)*, prise par Edward Steichen, est un parfait exemple de la simplification formelle vers laquelle il tend. Manifestement peu soucieux de la beauté conventionnelle d'une anatomie, il s'est attaché à étirer et composer les formes de façon que le mouvement soit compréhensible sous tous les angles. En dépit du mécontentement exprimé par le modèle, cette œuvre répond admirablement au dessein de Matisse.

THE MUSEUM OF MODERN ART, NEW YORK

100

panneau, la nudité des danseurs est encore accentuée, de même que le caractère frénétique du mouvement, la couleur rouge brique des corps déchaînés ajoutant à l'impression de paroxysme. Ainsi, dans l'esquisse, la seconde danseuse à gauche, jeune paysanne aux rondeurs charmantes qui paraît plutôt s'amuser semble, dans la version finale, exténuée et sur le point de succomber à l'effort. L'ensemble de l'œuvre définitive se rapproche davantage, par son esprit, du *Sacre du printemps* de Stravinski — où la mort met fin à la danse — que d'une joyeuse et saine distraction.

Si, dans *la Danse*, Matisse s'est souvenu des sardanes des pêcheurs de Collioure, dans *la Musique (page 89)*, la scène est entièrement inventée, excepté le personnage du violoniste qu'il emprunte à la petite ébauche possédée par les Stein. Désireux d'évoquer un climat de calme et de recueillement musical, à l'exact opposé du rythme bondissant et martelé de *la Danse*, il place le violoniste à l'écart, à l'extrême gauche et lui donne une expression de concentration intérieure. Auprès de lui est assis le joueur de flûte, une jambe repliée à angle droit par rapport au premier musicien, si bien que, avec le recul, les deux figures semblent liées et ne former qu'un seul et même élément abstrait. Le propre de la musique étant d'être écoutée, Matisse a ajouté trois auditeurs. Il les avait d'abord représentés, sur la colline, en des attitudes de ravissement conventionnel, parmi les fleurs, un chien fasciné auprès d'eux. Mais, en cours d'exécution, il supprima les fleurs et le chien et modifia les poses inspirées de ses auditeurs pour les asseoir bien droits, les genoux relevés, chacun tendu dans une attention extrême, peu soucieux des autres et absorbé dans sa propre contemplation personnelle.

L'enthousiasme de Chtchoukine à la vue de ces deux panneaux se trouve aussitôt contrarié par ses scrupules touchant ce qu'il considère comme ses obligations sociales. Ses deux filles adoptives sont adolescentes, et ses concerts de musique de chambre attirent chez lui autant de femmes que d'hommes. Comment exposer dans son escalier toutes ces nudités féminines et masculines? D'autant plus que celles de *la Musique* sont parfaitement explicites? Chtchoukine s'imagine déjà, lui et ses filles, mis au ban de la société. Un contrat est un contrat, mais Chtchoukine vit à Moscou, et Matisse à Paris. Matisse accepterait-il de reprendre les panneaux et de les refaire à un tiers de leurs dimensions actuelles, pour que Chtchoukine puisse les placer dans ses appartements privés, là où ils ne risqueront de choquer personne? Matisse est tellement consterné par cette demande qu'il abandonne tout et s'en va passer trois mois en Espagne, bien résolu à oublier toute cette affaire.

Aussitôt de retour à Issy-les-Moulineaux, en janvier 1911, il se met à travailler à une série de toiles d'un caractère totalement différent des décorations murales exécutées pour Chtchoukine. Elles débordent d'une multitude de détails, vibrent d'une brillante mosaïque de couleurs, étalent une diversité qui frôle l'incohérence. Elles résultent d'une des « acquisitions nouvelles » de Matisse. L'été précédent, il s'est rendu à Munich pour visiter une grande exposition d'art musulman. C'est là un des événements de sa vie. Il en est revenu confirmé dans sa conviction qu'il n'est nullement indispensable de se laisser piéger par la routine sans issue de la perspective conventionnelle de l'Occident : la vision de l'univers peut être aplanie, redressée sur le plan vertical, libérée des limitations imposées par les sens. L'élément narratif, l'ornement, le détail explicite, tout peut se combiner en des compositions complexes qui restent très significatives à différents niveaux : en tant qu'exposés de faits, en tant qu'études de caractères, et en tant qu'objets dotés d'une beauté intrinsèque. Cela s'est fait jadis; cela peut se faire encore.

La première des toiles où se manifeste ce changement de conception est *la Famille du peintre (page 87)*, qui représente Mme Matisse et ses trois enfants, disposés comme des silhouettes découpées sur un fond tout papillotant de motifs colorés : tapis, papier peint, tissus d'ameublement et jusqu'aux céramiques de la cheminée — tout est jeu et mouvement. Suit aussitôt après *l'Intérieur aux aubergines*, tableau littéralement criblé d'éléments décoratifs, qu'on pourrait prendre à première vue pour un immense tapis semé de fleurs : les murs, le sol, un écran de papier peint sont recouverts du même motif obsédant de pois disposés en corolles et, pour compliquer encore les choses, l'artiste a ajouté un paravent orné d'arabesques, un tapis de table également imprimé de grands ramages et plusieurs miroirs qui se renvoient l'image multipliée de ces motifs foisonnants.

Dans une autre toile révolutionnaire, *l'Atelier rouge*, la démarche de Matisse est inverse. Au lieu de recourir à la surabondance décorative, il réduit les murs et le sol de l'atelier à une seule surface continue du même rouge uniforme. Mais l'effet de profondeur de la pièce est obtenu grâce à la manière subtile dont les meubles et objets s'y trouvent distribués. Certains sont de toute évidence appuyés contre le mur du fond, d'autres contre un mur latéral oblique par rapport au champ de vision. Et bien qu'aucun ne soit modelé en trois dimensions, ils apparaissent tous en volume à cause des relations établies entre leurs positions respectives.

Tandis que Matisse poursuit ses recherches dans cette voie nouvelle indiquée par l'art de l'Islam, Chtchoukine est revenu sur sa décision concernant *la Danse* et *la Musique*. Décidant qu'après tout il était absurde de se priver de ces œuvres magnifiques, il demande qu'on les lui expédie à Moscou en janvier 1911 et invite Matisse à venir chez lui pour surveiller leur mise en place. L'artiste accepte. Il s'agit en principe d'un voyage privé mais, dès l'instant où il descend du train, à l'automne de 1911, il se voit entouré d'admirateurs. Des journalistes l'interviewent sur le quai de la gare, le suivent partout, et un public fervent boit ses moindres paroles. Il est déjà connu à Moscou, non seulement par les toiles de Chtchoukine et par une exposition de peinture française moderne organisée quelques années plus tôt, mais aussi par son article, « Notes d'un peintre », qui a été traduit et publié dans *la Toison d'or*, revue littéraire moscovite.

Chez Chtchoukine, Matisse découvre que ses tableaux sont accrochés en rangs sur des murs recouverts de damas et doivent lutter contre le voisinage oppressant d'une surabondante décoration : plafonds voûtés et ornementés, encadrements de portes en faux baroque, cantonnières somptueuses descendant en lourds drapés à mi-hauteur des fenêtres, candélabres assez pesants pour assommer un éléphant. Toutefois, lorsque Matisse eut persuadé Chtchoukine d'ôter les verres qui couvraient ses toiles et de les suspendre à plat contre le mur et non inclinées en avant, elles s'imposèrent de nouveau sans difficulté.

Hôte attentif et empressé, Chtchoukine veille à ce que son invité profite au maximum de son séjour à Moscou. Il s'est aperçu de l'intérêt de Matisse pour l'art non européen et a dû prévoir quel plaisir il prendrait à découvrir les icônes moscovites du XVe siècle. Ces icônes, récemment nettoyées et restaurées, se trouvent justement révélées, pour la première fois depuis des siècles, dans toute leur gloire. Même en faisant la part de la politesse naturelle à un visiteur si fêté, il est certain que l'admiration de Matisse est sincère lorsqu'il déclarait que les Russes ne réalisaient pas les trésors qu'ils possédaient, ajoutant que les jeunes avaient à leur disposition des exemples d'art plus beaux que ceux qui s'offrent aux yeux des jeunes artistes d'Europe. C'est à Moscou, affirmait-il, que de nouvelles découvertes doivent être faites, soulignant ainsi que les artistes modernes devraient chercher leur inspiration auprès des primitifs russes.

Certains critiques russes prétendent que Matisse lui-même s'est inspiré de ces icônes et que *la Famille du peintre* en atteste l'influence directe. En fait, cette toile était presque achevée avant le départ de l'artiste pour Moscou. Mais Matisse et les peintres d'icônes ont indéniablement certaines choses en commun : leur intérêt pour la puissance expressive de l'arabesque, leur amour de la couleur pure et chantante, leur souci de la précision du contour et leur conviction, exprimée par Matisse, que « l'exactitude n'est pas la vérité. » Comme Matisse, les peintres d'icônes relèvent généralement les plans horizontaux au voisinage de la verticale; comme lui, ils se complaisent à la beauté presque solennelle de la surface peinte. Et la beauté de ces icônes révélées à Matisse en 1911, débarrassées de plus de quatre siècles de suie de cierges, de repeints grossiers et de vernis intempestifs, suffirait à lui faire retrouver une passion nouvelle pour la peinture.

Comme tous les étrangers, Matisse est impressionné par les anciens édifices du Kremlin, et il lui tarde de les peindre sous la neige. Mais la neige se fait attendre en cet hiver de 1911, et il lui tarde non moins de retrouver son atelier. En novembre, il quitte Moscou, et n'y reviendra plus jamais. Il laisse cependant derrière lui une influence qui se prolongera pendant plus de dix ans. Les artistes et les intellectuels russes se souviendront de lui comme d'un homme prêt à risquer n'importe quoi pour demeurer fidèle à sa vision intérieure du monde : partout où s'assembleront des esprits libres, son nom, plus souvent que celui d'aucun artiste européen, reviendra dans les conversations. Sur Matisse, l'influence de la Russie est non moins forte, mais les effets ne s'en feront pas sentir immédiatement. Il a trouvé dans les icônes russes la confirmation de nombre de ses propres idées, singulièrement en ce qui concerne l'espace. Lorsqu'il peint les jambes d'une danseuse, par exemple, il se soucie autant de la forme de l'espace délimité par ces jambes que de la forme des jambes elles-mêmes. Il a remarqué semblable préoccupation chez les peintres d'icônes : le vide compris entre les bras levés d'une Vierge ou entre les personnages d'une Sainte-Trinité constitue un élément important de la composition.

Ce voyage à Moscou sera pour lui le dernier des grands voyages de la période des « acquisitions nouvelles ». Par la suite, mis à part deux séjours au Maroc au cours des hivers 1911 et 1912, il ne quittera plus la France jusqu'en 1930, date de son voyage à Tahiti. Ces évasions au Maroc sont de pur agrément. Matisse aime l'Afrique du Nord pour elle-même, pour son soleil inépuisable, ses débauches de fleurs et la nonchalante magnificence des Berbères. Il y trouve aussi, devenue réalité quotidienne, la vie édénique qu'il se plaît à peindre; c'est un pays où les fleurs s'offrent à qui veut les cueillir sans qu'il faille les acheter, où les gens ne s'endimanchent pas, mais s'habillent somptueusement de la façon la plus naturelle, où l'intensité de la lumière éblouit et n'a nul besoin d'être imaginée. En somme, il y est parfaitement heureux.

Il est d'ailleurs non moins heureux chez lui et a toutes raisons d'être content de la vie. Il reconnaît à certains signes que le message de son œuvre a fini par toucher le public. Si les milieux officiels français l'ignorent toujours (Apollinaire, décrivant l'inauguration du Salon d'Automne de 1913, remarque que le ministre présent écouta avec un ennui manifeste un éloge de Matisse), du moins a-t-il déjà obtenu une satisfaction presque équivalente aux honneurs officiels. Quatre ans plus tôt, en septembre 1909, Bernheim-Jeune, l'une des plus grandes galeries de Paris, l'a pris sous contrat, s'engageant à lui acheter toute sa production à des prix variant entre cinq cents francs et deux mille francs par toile, selon, comme il est d'usage, les dimensions du tableau et non sa qualité intrinsèque. Ce contrat, négocié par Félix Fénéon, ami et défenseur de Seurat, sera suivi de bien d'autres, renouvelés chaque année de 1909 à 1926, avec une interruption de deux ans au cours de la Première Guerre mondiale. La garantie de Bernheim-Jeune lui apporte une sécurité pour ainsi dire totale et lui permet de se faire connaître du vaste cercle des collectionneurs internationaux.

Mais son meilleur client reste encore Chtchoukine qui, jusqu'à la déclaration de guerre, continuera à se rendre acquéreur de la plupart des grandes œuvres de Matisse, étant secondé, vers la fin de cette période, par son ami le collectionneur Ivan Morosov. En avril 1913, par exemple, lors d'une exposition chez Bernheim-Jeune des peintures marocaines de Matisse, Chtchoukine et Morosov achètent à eux deux huit des douze toiles exposées. L'une des conséquences de cette passion des deux amateurs russes est que, pendant plus de quarante ans, certaines des meilleures œuvres de Matisse resteront inconnues en Occident, ou ne seront connues que par ouï-dire. Il faudra attendre 1959 pour que les autorités soviétiques se décident à exposer ces toiles de Matisse. Actuellement encore, il n'est pas facile d'y avoir accès : elles se trouvent au dernier étage du musée de l'Ermitage de Leningrad, dans ce qui était jadis les salles réservées aux dames d'honneur de la tsarine.

Il n'était pas facile non plus de voir ces toiles à l'époque où Chtchoukine les détenait encore chez lui. Celui-ci, en octobre 1913, écrit à Matisse que dix conservateurs de musées — venant de Berlin, Francfort, Nuremberg, La Haye, Strasbourg, Flensburg, Hambourg, Darmstadt, Halle et Oslo — sont arrivés à Moscou au cours des deux semaines précédentes, expressément pour voir ses peintures, et que chacun lui a parlé de Matisse comme d'un « grand maître ». Un peu plus tôt, en février de la même année, deux cent cinquante mille Américains se sont pressés à la célèbre *Armory Show* de New York (organisée dans l'Armurerie du 69ᵉ régiment), la plus grande exposition d'art moderne encore jamais vue aux États-Unis. Matisse y a envoyé treize toiles, trois dessins et une importante sculpture. Mais le public a fait à son œuvre un accueil tout différent. Bien que la peinture la plus discutée de l'exposition ait été le *Nu descendant l'escalier* de Marcel Duchamp, ce sont les toiles de Matisse qui ont attiré les sarcasmes les plus violents et les plus soutenus de la presse : « Un art essentiellement épileptique »... « Laid, grossier, borné, révoltant »... « Une exploitation de l'insanité »... « Les dessins d'un enfant vicieux »... Tel a été le ton général des commentaires.

Le *New York Times*, l'un des journaux où Matisse avait été le plus malmené, jugea pourtant que l'ampleur du scandale méritait qu'on envoyât une journaliste à Issy-les-Moulineaux, pour interviewer l'artiste. A sa grande surprise, cette dame découvrit, dit-elle, « non pas l'excentrique aux longs cheveux et aux allures débraillées que j'avais imaginé, mais un robuste gentleman blond, frais et dispos... dont les manières simples et cordiales me mirent immédiatement à l'aise... Les idées qu'on peut se faire de l'homme et de son œuvre sont en complète opposition : l'œuvre est anormale au dernier degré, l'artiste est un être ordinaire et sain, comme on en rencontre des dizaines tous les jours... » Désireux de renforcer cette bonne impression, Matisse lui demanda de préciser à ses lecteurs américains qu'il était tout ce qu'il y a de plus normal, qu'il se tenait pour bon époux et bon père, avait trois beaux enfants, allait au théâtre, montait à cheval, possédait une maison confortable et un beau jardin, qu'il aimait les fleurs, etc., exactement comme n'importe qui.

Il n'a pas besoin de s'inquiéter. Avant la fin de cette même année, deux nouveaux et importants collectionneurs américains s'intéressent à lui : l'un est John Quinn, un juriste de New York, l'autre un médecin millionnaire de Philadelphie (qui a mis au point l'Argyrol), nommé Albert Barnes. Quinn, l'un des organisateurs de l'*Armory Show*, achète peu après à Léo et Gertrude Stein le *Nu bleu* et la petite esquisse de *la Musique*. Quant à Barnes, déjà collectionneur de tableaux impressionnistes et post-impressionnistes, il finira par réunir la plus importante collection de Matisse des États-Unis. Ces deux grands amateurs seront suivis, à distance respectueuse, par des dizaines d'autres Américains enthousiastes. Le vent a enfin tourné en faveur de Matisse. Tout, autour de lui, commence à en témoigner. La maison et le jardin d'Issy-les-Moulineaux se mettent à ressembler à l'une de ses compositions les plus raffinées : tout y est net, chatoyant et bien ordonné. Il y a des Cézanne au mur de la salle à manger, et le jardin, entretenu par un jardinier, déborde d'une profusion de fleurs. C'est Matisse qui l'a voulu ainsi.

En promenade à cheval avec ses trois enfants — Jean est à droite, Pierre et Marguerite à gauche — dans la campagne de Clamart, Matisse semble ici un père de famille comme les autres. Passionné d'équitation, Matisse monte souvent, seul, avec ses enfants, ou encore avec son ami Picasso, à l'époque où ce dernier habitait également en banlieue. Mais les heures arrachées à son travail sont rares : il est à cette époque absorbé par les immenses compositions de *la Danse* et de *la Musique* que lui a commandées Chtchoukine, par l'achèvement de sa sculpture *la Serpentine* et par la mise en chantier de quantités de toiles.

Sous le charme des odalisques

A la fin de la Première Guerre mondiale, Matisse est parvenu à la célébrité; ses enfants ont grandi et, à l'approche de la cinquantaine, il a de bonnes raisons de considérer sa vie avec satisfaction. Au cours des années faciles et prospères qui vont suivre, il s'attachera à traiter un sujet évocateur de plaisirs opulents : les langoureuses et sensuelles femmes de harem, les odalisques. Au cours de ses voyages en Afrique du Nord, Matisse a pu en observer souvent. S'inspirant de modèles qu'il fait poser soit nus, soit à demi vêtus de gazes transparentes et multicolores, il se plaît à recréer le climat de leur capiteuse captivité.

Les odalisques sont un des thèmes chers à la peinture française, comme en témoignent Ingres, Delacroix et Renoir. Mais, chez Matisse, le goût de ces beaux objets indolents semble inattendu. N'est-il pas avant tout un artiste rationnel, attentif à la justesse des harmonies et à l'équilibre méticuleux de la composition? Cette cérébralité n'est cependant qu'un des aspects de son tempérament : ces tableaux d'odalisques le révèlent comme un homme épris de la joie de vivre et des charmes de l'exotisme. Mais, tout en s'abandonnant à cet enchantement, il ne cesse néanmoins de progresser dans son art. A l'occasion des odalisques, il renouvelle ses expériences de sculpture et de lithographie et, dans ses peintures, poursuit ses recherches tendant à une réduction de l'espace en plans dépourvus de profondeur, tandis que l'arabesque décorative envahissante unifie la surface totale de la toile et qu'entre les couleurs s'établissent des interactions d'une richesse multipliée.

Le modèle de cette lithographie d'odalisque, datant de 1925, a pris une pose que Matisse a répétée un grand nombre de fois dans ses dessins, ses gravures, ses toiles, et même en sculpture. Quelle que soit la technique choisie, l'artiste observe la règle qu'il s'est donnée : « Les moyens les plus simples sont ceux qui permettent le mieux au peintre de s'exprimer. »

Odalisque à la culotte bayadère, 1925

Grand nu assis, 1925

Ce n'est pas par hasard que Matisse termine l'une de ses plus belles et plus célèbres sculptures *(ci-dessus)* au cours de la grande période des odalisques. Il possède du corps féminin — bien qu'il le soumette souvent à des déformations plastiques — une connaissance infaillible, acquise, en partie, par la pratique de la sculpture, qui oblige l'artiste à penser en trois dimensions et à sentir tactilement les formes qu'il crée. Expliquant sa conception du dessin à ses élèves, Matisse leur dit un jour : « Ce corps, traduisez-en les rondeurs, tout comme en sculpture. Cherchez leur volume et leur plénitude. Leurs contours doivent y suffire. Quand on parle d'un melon, on se sert des deux mains pour exprimer d'un geste sa forme sphérique. De même, deux lignes suffisent à exprimer une forme unique. »

Ces conseils, Matisse les a mis en pratique dans la toile de droite. Volume et plénitude caractérisent ce corps d'odalisque à la tête ovoïde, à la main schématique et au pied étiré, qui semble modelé dans la glaise. Si Matisse n'en avait pas simplifié les formes en courbes et en masses sculpturales, cette figure se serait perdue dans la surchage décorative du fond. D'exubérantes arabesques courent sur les murs et le tapis, rivalisant avec un miroir baroque, une plante verte au brillant feuillage, un coussin à fleurs et une coupe d'appétissantes oranges — tous ces éléments cherchant à capter l'attention du spectateur. Pourtant, cette forme nue s'impose sans difficulté : il a suffi à l'artiste d'interrompre, autour de la tête, le mouvement des pinceaux, en assombrissant légèrement le fond afin de mettre ses traits en relief.

Figure décorative sur fond ornemental, 1927

Le Peintre et son modèle, 1917

Dans son atelier parisien, Matisse a peint les femmes
d'une manière toute différente de celle qu'il adopte
sous la lumière méditerranéenne de la Côte d'Azur.
Dans le tableau ci-dessus, l'artiste et son modèle
sont enveloppés dans la mélancolie d'un automne
parisien, et la pénombre de cet atelier presque vide
a dissous leurs traits; le miroir baroque lui-même
ne semble plus qu'une relique ternie d'un passé plus
brillant. Mais, deux ans plus tard, à Nice — où il
séjourna de plus en plus longtemps à partir de 1917 —,
reprenant le même thème à la lumière éclatante du Midi,
il décrit les charmes généreux de son modèle alangui
parmi les fleurs, dans la profondeur moelleuse d'un fauteuil
recouvert de cretonne. Tout ici parle de bien-être
et d'heureuse plénitude. Alors que la toile de Paris
donne l'impression que Matisse répugne à s'attarder
sur les détails, ici, tout est précisé : les motifs du sol,
les objets qui encombrent les tables, jusqu'aux rayures
du pyjama de l'artiste; dans cette toile, le modèle a un
visage, et le profil perdu de Matisse est reconnaissable.
L'atmosphère de Nice met en valeur ce nu féminin,
magnifie la superbe odalisque des pages suivantes :
achetée par le gouvernement en 1922, ce sera la première
odalisque de Matisse à entrer dans un musée français.

L'Artiste et son modèle, 1919

Odalisque en pantalon rouge, 1922

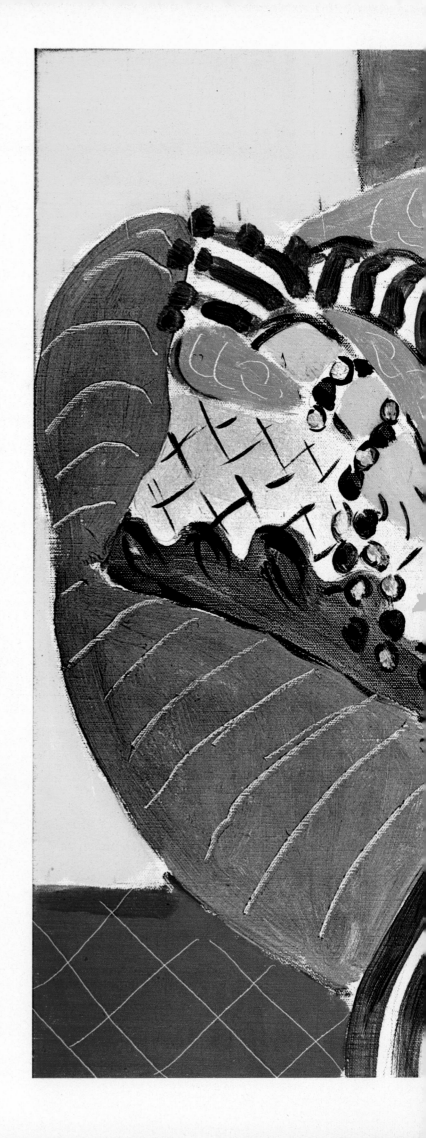

Des femmes ravissantes en costumes
chatoyants, le chaud rayonnement du
soleil du Midi, l'obsédante nonchalance
des odalisques marocaines — toutes ces
plaisantes évocations reviendront éclairer
l'œuvre de Matisse jusqu'à la fin
de sa vie. Vers la fin des années 1930,
la princesse Galitzine pose devant
lui en costume d'odalisque
(à droite), et de son
aristocratique beauté émane une
élégance qui fait parfois défaut aux
études antérieures de l'artiste; ses
beaux traits fiers et son maintien assuré
ajoutent à l'éclat de l'ensemble.
Matisse lui-même a souligné le rôle
primordial de ses modèles : « Elles
sont le thème principal de mon
travail. Je dépends absolument de mon
modèle que j'observe en liberté,
et c'est ensuite que je me décide
pour lui fixer la pose qui correspond le
plus à son naturel. » Les toiles de
Matisse sont un monde qu'habitent
presque exclusivement des femmes. Il a
parfois tracé au crayon le portrait
d'un ami, mais sa peinture est placée
sous le signe de la féminité. Vers la
fin des années trente, il s'installe
sur la colline ensoleillée de Cimiez, dans
un appartement de l'hôtel Régina,
qui devient pour lui un univers
privilégié d'ordre et de beauté dont
il est le maître.

Odalisque à la robe rayée, 1937

VI

La création
d'un chef-d'œuvre

Matisse appartient à cette génération de Français dont la vie, dès l'enfance, puis dans l'âge mûr et enfin dans la vieillesse, aura été assombrie par la triple menace que fait peser sur le pays « l'ennemie héréditaire », l'Allemagne. Il a grandi dans une région encore ébranlée par les désastres de la guerre de 1870, et c'est le cœur serré qu'en 1914 il voit se renouveler la même tragédie. Lui-même n'est pas mobilisable, mais ses deux fils seront bientôt en âge de servir, et ses amis peintres plus jeunes — Braque, Derain, Vlaminck — sont rappelés sous les drapeaux sitôt la guerre déclarée. En outre, il n'est nul besoin d'être prophète pour prévoir que, quelle que soit l'issue du conflit, une certaine conception de l'Europe va disparaître à jamais.

En 1914, Matisse est un artiste beaucoup trop complet pour que les événements extérieurs puissent l'affecter profondément, mais il réagit cependant aux changements qui s'opèrent dans le monde, et la guerre ainsi que l'après-guerre influenceront son œuvre dans une certaine mesure. Pendant les hostilités, ses compositions prennent un caractère introspectif, presque abstrait, et, une fois la paix rétablie, elles débordent d'un émerveillement retrouvé pour le monde qui l'entoure. Fidèle à lui-même, toutefois, il poursuit son idéal inchangé : le grand tableau, le chef-d'œuvre ; et, en 1927, il le réalisera de nouveau avec la toile *Figure décorative sur fond ornemental*, synthèse de son goût du décor et de sa recherche de monumentalité.

Au début de la guerre, Matisse a quarante-cinq ans. S'il ne peut plus se battre, du moins brûle-t-il de contribuer à la lutte de son pays. « Que pourrais-je faire ? » demande-t-il à son ami Marcel Sembat, alors ministre des Travaux publics. « En continuant, comme vous le faites, à bien peindre », répond celui-ci. Aussi, à l'automne de 1914, Matisse retourne-t-il dans le Midi, à Collioure.

Il y retrouve un vieil ami, Marquet, et y fait la connaissance d'un jeune peintre espagnol de talent, Juan Gris, qui a été un temps le voisin de Picasso à Paris et que celui-ci a converti au cubisme. Gris est un peintre intellectuel, qui décide à l'avance de ce que sera son tableau et assujettit à cette vision la réalité extérieure. Toute négligence et tout accident lui font horreur. « Comment, dira-t-il un jour, avec un esprit comme le mien, pourrais-je barbouiller un bleu ou tracer une ligne qui ne serait pas droite ? »

Gris adore discuter, et il y a longtemps que Matisse n'a pas rencontré un tel compagnon. De tempérament timide et effacé, Marquet observe un silence méditatif, tandis que Matisse et Gris discutent à l'infini : « Je vois souvent Matisse, écrit Juan Gris à Kahnweiler. Nous parlons peinture avec acharnement tandis que Marquet écoute... et parfois s'ennuie. »

On ignore ce que les deux hommes se sont dit, mais il est fort probable que Matisse s'efforce alors de formuler et d'analyser les problèmes inhérents à l'exécution d'une œuvre importante et de grandes dimensions. Car, de façon tout à fait consciente, semble-t-il, il se retrouve aux prises avec cette tâche écrasante qu'est la création d'un chef-d'œuvre. En 1897, cela a abouti à *la Desserte;* en 1906, à *la Joie de vivre;* en 1909 et 1910, à *la Danse* et *la Musique;* en 1911, à *la Famille du peintre.* Dans chacune de ces toiles, il a mis le meilleur de lui-même, et chacune a révélé un aspect différent de son art. Cette fois encore, un changement s'annonce, mais le public ne le saura que plus tard. Depuis la guerre, la peinture est devenue une activité presque confidentielle. Il n'y a plus de Salons où les artistes puissent exposer ni de collectionneurs qui affluent à Paris à la moindre rumeur de nouveauté. La plupart des tableaux peints par Matisse pendant la guerre sont mis en réserve et ne verront le jour que bien des années plus tard.

Certains indices permettent cependant de supputer la nature de ce renouvellement. Peu avant le début des hostilités, pour des raisons pratiques, Matisse a repris son ancien atelier du quai Saint-Michel. De nouveau, en amont de la Seine, il a vue sur Notre-Dame, sujet qui l'a toujours bien inspiré. Étudiant, il a peint la cathédrale avec toute la minutie de détail d'un dessin d'architecture. Plus tard, sous l'influence de l'impressionnisme, il s'est attaché à fixer, à toute heure du jour, les jeux changeants de la lumière sur la façade. Par la suite encore, il a rendu l'aspect de la vieille pierre, l'a métamorphosée en floconneuse « barbe à papa » ou en fondante crème glacée. On aurait pu croire qu'il avait épuisé toutes les possibilités du sujet. Mais, en 1914, avant de quitter Paris, il en découvre une nouvelle. Réduisant Notre-Dame à un ensemble de rectangles rose chair, il schématise le paysage familier du pont et des quais en un entrecroisement de fortes lignes noires, une tache de vert indiquant un arbre, et une autre, de vert noirâtre, le manteau de lierre recouvrant le parapet. Il serait difficile d'en dire davantage avec autant de concision.

L'été suivant, à Collioure, il peint une toile encore plus dépouillée, intitulée *Porte-fenêtre à Collioure.* Ce titre évoque l'un des thèmes auxquels excelle et se complaît le talent de Matisse : une fenêtre aux volets ouverts sur l'horizon d'une mer du Sud et, au premier plan, un vase de fleurs fraîches. Mais ce n'est pas du tout ainsi qu'il a traité la *Porte-fenêtre.* Un énorme rectangle noir occupe la partie centrale de la toile; d'un côté, un volet d'un vert fané, de l'autre un pan de mur bleu, également patiné par les intempéries. On pourrait dire que la toile est vide; rien n'y accroche le regard.

Certains critiques ont vu dans ce tableau un symbole du désespoir et du sentiment de vide éprouvé par les Français à la perspective de cette interminable guerre. Matisse souffre autant qu'un autre de cet accablement moral. Tandis que les années s'écoulent et qu'il assiste impuissant au massacre de la jeunesse de son pays, Matisse se plaint à ses amis d'une difficulté croissante à développer sur la toile ses conceptions picturales. Cependant, la *Porte-fenêtre* n'est pas un tableau pessimiste; il apparaît au contraire stimulant et plein de promesses. Dans les limites de ce rectangle obscurci, tout peut arriver ou peut-être, rien n'arrivera. Faut-il aussi l'interpréter comme la profondeur ténébreuse d'une pièce vue de l'extérieur, ou comme un paysage nocturne vu de l'intérieur? Il y a là toute la fascination et le mystère des sombres retraites où se cachait l'oracle de Delphes.

La *Porte-fenêtre* a quarante ans d'avance sur son temps. Matisse, en 1914, peint comme le font aujourd'hui des artistes américains tels que Barnett Newman et Kenneth Noland. Il a créé une composition dans laquelle s'établissent, entre diverses bandes colorées, des rapports mutuels si chargés de significations que toute autre espèce de peinture semble, en comparaison, bavarde et périmée. Il a dit un jour qu'il rêvait d'un art qui guérisse — de même que le soleil, l'altitude et une vie simple étaient autrefois supposés guérir la phtisie. La *Porte-fenêtre à Collioure* se rattache à ce genre d'art : elle opère sur la vision comme l'air pur sur les poumons, et dispense un sentiment d'espace, de liberté, d'élévation.

A partir de cette toile, Matisse aurait pu s'aventurer dans la voie d'un art totalement non figuratif, mais il est trop profondément français pour se dissocier à ce point de son temps. En outre, il éprouve un plaisir réel à peindre le concret — des fleurs, de jolies femmes, des objets familiers, ce qu'il voit de sa fenêtre, les arabesques d'un porte-musique sur son piano Pleyel. Et il est non moins sincèrement attiré par les thèmes traditionnels de l'art français — plus particulièrement d'ailleurs pendant la guerre — où il semble puiser des forces. Au printemps de 1916, par exemple, alors que la France est saignée à blanc par l'interminable hémorragie de la bataille de Verdun, Matisse écrit à un ami qu'il se sent « bon à rien »; enfermé dans son atelier du quai Saint-Michel, il peint une série de petits portraits dont le regard a la même insistance interrogative que celui des personnages immortalisés par Corneille de Lyon ou François Clouet. A la même époque, il exécute plusieurs natures mortes, où figure un pichet d'étain qu'il affectionne, et dont les modelés vigoureux et les admirables blancs rivalisent avec ceux des natures mortes de Chardin.

Ces tableaux du temps de guerre nous apparaissent aujourd'hui comme des offrandes votives de l'artiste aux dieux des combats,

Dans ces deux toiles, peintes à quelques mois d'intervalle au cours de l'été 1914, Matisse se révèle plus près de l'abstraction pure qu'il ne le sera jamais. Une *Vue de Notre-Dame (à gauche)* montre les tours jumelles de la cathédrale, réduites à l'état de rectangles, dressées au-dessus des ponts et des quais de la Seine indiqués par quelques lignes sèches. La *Porte-fenêtre à Collioure (à droite)* est-elle vue de l'intérieur ou de l'extérieur? Très différente des autres « fenêtres ouvertes », celle-ci se compose de parallélogrammes stricts de couleur unie délimitant le mur, les volets, le bâti de la fenêtre. Peu après ces deux toiles novatrices, le style de Matisse évolue pour ne jamais revenir à un géométrisme aussi rigoureux.

destinées à les convaincre de ne pas briser la continuité de la vie française. Alors que d'autres peintres s'identifient à la patrie en représentant des usines de munitions ou des évocations de combattants anonymes, Matisse exprime son patriotisme en peignant, de la France, ce qu'il connaît le mieux : sa famille, sa maison, son jardin. Les tapis d'Issy-les-Moulineaux avec leurs motifs en zigzags, les fenêtres du rez-de-chaussée et leurs balcons à rinceaux, la courbure d'un bras de fauteuil, la silhouette des radiateurs, une coiffeuse où des broches restent éparpillées, le bocal cylindrique du poisson rouge — Matisse a introduit tous ces détails en des toiles si nombreuses que la maison d'Issy-les-Moulineaux nous semble aujourd'hui aussi familière que si nous y avions vécu. On dirait qu'il a voulu investir ces objets quotidiens de la permanence qui procède de l'existence spirituelle aussi bien que matérielle. Une fois fixés sur ses toiles, connus à travers elles, plus jamais ils ne pourraient être totalement détruits.

De façon paradoxale, la guerre aidera Matisse à franchir une nouvelle étape artistique. Il n'y a plus alors de critiques pour le tourmenter ni d'importuns pour lui faire perdre son temps, plus d'expositions annuelles à prévoir ni de collectionneurs à satisfaire, plus même d'amis peintres pour le distraire de sa concentration. Les circonstances sont très favorables à la poursuite d'un objectif toujours très présent à son esprit, la création d'un chef-d'œuvre d'une plénitude accomplie. Fort heureusement aussi, il dispose de toute la place nécessaire à ses travaux : dans son jardin d'Issy, l'atelier démontable qu'il a fait installer pour l'exécution des panneaux de Chtchoukine; un autre atelier au rez-de-chaussée de la maison et, à Paris, son ancien atelier du quai Saint-Michel. La voie est libre; il va en profiter et, malgré des attaques récurrentes de grippe qui le laissent affaibli et sujet à des vertiges, il entreprend, au cours des années 1916 et 1917, une série de toiles monumentales.

Alors que les petits portraits et les natures mortes transcendaient une expression artistique familière, le langage pictural, avec ces grandes peintures, va trouver des développements nouveaux, et dans

En 1913, le peintre hollandais Kees van Dongen a prié Matisse et son non moins paisible ami et voisin Albert Marquet de se joindre à un groupe joyeux de jeunes artistes invités pour un bal costumé donné dans son atelier parisien. On voit, au premier plan à droite, Matisse, accroupi, et Marquet, debout derrière lui, déguisés en lutteurs de foire à la barbe hirsute et au torse velu, vêtus de collants de coton et de culottes rayées. Van Dongen, en turban, et sa femme se trouvent au dernier rang, sous les deux lanternes japonaises du milieu.

diverses directions. Ces tableaux sont pour la plupart des surfaces planes sans profondeur, et leur unité fondamentale de construction sera, comme pour la *Porte-fenêtre à Collioure*, un haut parallélogramme de couleur uniforme. Ces panneaux sont disposés en frise sur la toile. Ce mode de division de la composition n'est pas spécialement nouveau. Les anciens maîtres l'ont souvent utilisé pour leurs fonds, afin de mettre en valeur les éléments des premiers plans. Mais les aplats colorés de Matisse ne se situent ni au premier ni à l'arrière-plan. Ils existent indépendamment des objets représentés; ils ont, à titre égal, valeur d'objets.

Dans la *Porte-fenêtre*, ils créent à eux seuls un univers secret, abstrait, où rien ne se rattache à une localisation précise. Mais les grandes peintures ultérieures à panneaux fourmillent de détails identifiables. L'une d'elles, *la Leçon de piano*, a manifestement pour décor le salon du peintre à Issy, et le jeune pianiste est son fils Pierre. On y reconnaît la fenêtre et son balcon ouvragé, donnant sur le jardin, le piano Pleyel, le porte-musique et le métronome et, derrière le piano, au mur, l'une des toiles de Matisse : la *Femme au tabouret*.

Il est d'autant plus aisé de replacer *la Leçon de piano* dans son cadre que, peu après, Matisse reprendra la même scène sur le mode naturaliste dans *la Leçon de musique*. Pierre Matisse se souvient d'avoir été appelé pour poser, par une chaude journée d'été de 1917, alors qu'il jouait dans le jardin à se battre à coups de poires avec son frère Jean. Matisse fit asseoir Pierre au piano et plaça près de lui sa sœur Marguerite pour tourner les pages; à gauche, se trouvait Jean dans un fauteuil et, dans le jardin, Mme Matisse assise dans un rocking chair. Sur le piano, il posa son violon dans son étui ouvert, ainsi qu'un album des sonates de Haydn, dont le titre se lisait verticalement, afin d'accentuer l'impression de profondeur du tableau.

Jamais l'art de Matisse n'a serré de plus près la réalité quotidienne que dans cette toile. *La Leçon de musique* est une sorte d'adroite et prudente autobiographie. On y voit une maison de banlieue soigneusement tenue, au mobilier usé mais confortable, où des enfants bien élevés lisent ou font de la musique sous l'œil vigilant d'une mère exemplaire : il ne manque au mur qu'un modèle de motifs au point de croix. Aux mains d'artistes de moindre talent, la même scène va devenir, au cours des années 1920 et 1930, l'un des poncifs de l'art français.

La Leçon de piano et *la Leçon de musique* sont deux peintures de genres très différents. L'une est littérale et aisément déchiffrable, l'autre est une étude de couleur abstraite, qui semble le fruit du hasard, mais résulte en fait d'années de méditation. Toutes deux, cependant, ont le même point de départ dans la réalité et représentent le même salon. Mais, lorsque Matisse quitte ce salon et traverse la pelouse pour se rendre dans son atelier du jardin, il laisse derrière lui le monde réel pour travailler dans le monde de son imagination. Il n'y a rien dans cet atelier qui l'enchaîne au quotidien; c'est l'abri du rêve, là où ont pris naissance les visions de *la Danse* et *la Musique*, créées pour Chtchoukine en 1910. En ces années 1916 et 1917, il pénètre de nouveau dans ce domaine de l'imaginaire, habité, cette fois, par ses souvenirs d'Afrique du Nord.

L'Afrique du Nord occupe à cette époque une place particulière dans la pensée des peintres et des écrivains français. Elle est symbole de lumière, de couleur, de libération des sens, de paradis perdu. Ceux

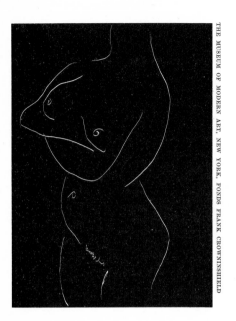

Parmi les gravures qu'exécute
Matisse en 1914-1915, celle-ci,
Torse nu aux bras croisés,
est remarquable par l'économie
et la précision de la ligne.
C'est un monotype, c'est-à-dire une
gravure tirée à une épreuve unique,
obtenue en encrant la plaque de
cuivre, puis en traçant rapidement
le dessin avec un stylet et en
la pressant enfin sur la feuille
de papier. Le dessin se brouille
au cours de l'opération, et il est
impossible d'en tirer une seconde
épreuve identique. Malgré son
exigence envers lui-même, Matisse
fut satisfait du graphisme élégant de
ces lignes blanches sur fond noir.

qui y sont allés ont dépouillé le vieil homme et se sont sentis renaître.
Peuple assujetti, les gens de ces pays n'en semblent pas moins détenir
le secret d'une vie idéale, une vie où le temps ne compte pas, où l'on
mange quand on a faim, où l'amour est chose naturelle. Là-bas, des
Français d'esprit aventureux adoptent les mœurs locales sans le
moindre scrupule.

Matisse n'en est pas là, mais il est revenu d'Afrique du Nord avec
des impressions précises et profondes, et il voudrait les fixer sans
trop se soucier d'exactitude littérale. L'Afrique du Nord réelle lui
a déjà inspiré une série de tableaux exécutés peu de temps après ses
deux voyages au Maroc, au cours de l'hiver 1912-1913. Son projet
est plutôt maintenant de traduire ce qu'il a ressenti. Telle est l'origine
de deux grandes toiles : *Demoiselles à la rivière (page 90)* et *les Marocains
sur la terrasse (pages 90-91)*. Cette dernière est déjà aux dimensions
d'un panneau mural et mesure $1,81 \times 2,79$ m, mais celle des *Baigneuses*
la dépasse encore, avec 2,60 m de haut sur 3,90 m de large. Toutes
deux rendent hommage à un peuple qui a su simplifier la vie, comme
Matisse saura simplifier la peinture; toutes deux sont également
d'imposantes et sobres compositions architecturales, où Matisse a
pris de considérables libertés avec les procédés habituels de représentation picturale.

Leur contenu est aisé à décrire. Dans les *Demoiselles à la rivière*,
on voit quatre jeunes femmes, des feuillages tropicaux et un serpent.
La scène villageoise des *Marocains* montre une mosquée, un balcon,
une pergola, une maison aux volets clos, et des Marocains accroupis
et drapés de burnous. Il est beaucoup moins aisé d'expliquer comment
Matisse a pris tous ces éléments un par un, les a schématisés jusqu'à
l'abstraction pour les transformer en symboles. Les *Demoiselles à la
rivière* et *les Marocains* ne sont pas des illustrations, mais des compositions monumentales.

Aujourd'hui encore, nous sommes confondus par la liberté et la
hardiesse avec lesquelles Matisse, dans ces deux peintures, a joué
avec la réalité. Pourtant, l'élémentaire simplification des *Demoiselles*
ne les réduit pas à l'état de symboles : elles ont la gaucherie hésitante
des femmes réelles en de telles circonstances. Le paysage, lui aussi,
est bien réel, bien qu'il ne soit indiqué que par un dense massif de
feuillages vert acide, mais il suffit à faire éprouver la proximité de
l'eau, la dureté coupante des feuilles en lames, le contraste brutal
des ombres dans une lumière subtropicale. Quant au petit serpent,
qui élève son corps aux aguets et sa tête aiguë tout en bas du tableau,
il semble résulter d'une inspiration de dernière minute; son rôle est
pourtant essentiel dans la composition : sans lui, elle perdrait contact
avec le sol, comme un ballon privé de son amarre.

Dans *les Marocains*, Matisse a réussi à multiplier les indications
touchant l'aspect des choses grâce à l'abandon des conventions de
la perspective, permettant ainsi à l'œil d'embrasser la composition
dans tous les sens à la fois. Il s'est toujours intéressé aux
correspondances existant entre les formes, notamment entre celles
du corps humain et les objets les plus inattendus : une cathédrale ou
un fruit quelconque. *Les Marocains* se prêtaient particulièrement à
ce genre de rapprochement, du fait à la fois de l'ampleur de leurs
vêtements et de leur aptitude à demeurer immobiles pendant des
heures. Le tableau de Matisse est, en un sens, une étude de formes,
surtout des formes circulaires communes aux silhouettes des hommes,

des mosquées, des turbans; il souligne aussi le dépouillement et la simplicité du mode de vie arabe et la manière dont pour tous, tout y devient spectacle, plaisir dont Européens et Américains n'ont qu'une faible expérience. Il nous éclaire enfin sur la démarche artistique du peintre : comment il extrait d'une scène les formes essentielles, élimine celles qui ne le sont pas, et arrive à élaborer une composition qui procède en même temps de la réalité et de sa propre vision intérieure.

L'intensité de l'effort qu'exige de Matisse l'exécution d'œuvres de trois genres différents doit parfois devenir intolérable, mais il n'en parle jamais. Dans les romans, les peintres qui travaillent à un tel rythme meurent à la tâche. Mais, dans la vie réelle — à plus forte raison quand il s'agit de Matisse —, la voix de la sagesse donne l'alarme. En décembre 1916, Matisse entend cette sorte d'avertissement et prend une décision qui va influencer le reste de sa carrière. Il se résout à prendre quelque repos et à passer l'hiver à Nice. Cela lui réussit si bien que, l'année suivante, il y retournera. Désormais, Nice deviendra de plus en plus le centre de son activité.

La ville, à cette époque, est encore peu commerçante. Quand il regarda pour la première fois par la fenêtre, il se dit que tout cela était à lui, aussi longtemps qu'il en aurait envie. Matisse, beaucoup plus tard, déclarait : « Je ne pouvais croire à mon bonheur. » Nice a gardé en partie ce caractère de paradis préservé qui charma naguère les aquarellistes de l'époque victorienne, mais elle en a en même temps la vivacité et la couleur des autres grandes villes méditerranéennes, telle Gênes, sa proche voisine. Le long de la vaste promenade des Anglais, les façades des hôtels sont de parfaits spécimens d'une architecture de station balnéaire mais, chaque jour, dans la vieille ville, les marchés en plein vent regorgent de fenouil, de poissons et d'oranges fraîchement cueillies. La lumière n'y est pas aveuglante et dure comme dans tant d'autres régions du Midi de la France, mais subtile et infiniment variée. S'éveiller dans l'une de ces chambres hautes de plafond qui donnent sur le port animé de la baie des Anges, c'est ouvrir les yeux dans un théâtre dont les lumières viennent de s'allumer et où la pièce n'est jamais la même.

La santé de Matisse — qui approche maintenant de la cinquantaine — se rétablit très rapidement. Il prend de l'exercice régulièrement et s'entraîne surtout à l'aviron. Devenu membre actif du club nautique, on l'aperçoit souvent, silhouette trapue pesant sur ses rames, s'éloigner tout seul vers le large. Au cours d'une période de neuf mois, il s'embarquera ainsi 154 fois, ce qui lui vaudra de mériter la médaille du club, « au titre de l'assiduité », dira-t-il. Il acquiert également une automobile, chose rare à l'époque, et s'apprend à conduire lui-même, au beau milieu de la route, à une allure des plus circonspectes. (Comme un ami lui demandait ce qu'il ferait s'il rencontrait une voiture venant de la direction opposée, il répondit que dans ce cas il ne voyait qu'une seule chose à faire : arrêter l'engin, descendre de son siège et s'asseoir sur le talus jusqu'à ce que l'autre soit passée.)

Pendant cinq ans, Matisse passera chaque hiver, de décembre à mai, dans l'un des grands hôtels situés en bordure de mer et, chaque jour, il observera le même emploi du temps. Levé à sept heures, il se rend dans une salle de bain éloignée où, sans déranger les autres pensionnaires, il travaille son violon pendant deux heures. (Matisse chérissait son instrument — il n'est rien qu'il n'ait peint avec plus

Ce dessin de féroce guerrier oriental représente la première tentative de Matisse dans le domaine des costumes de scène, en 1920. Il était destiné à un ballet de Stravinski, *le Chant du rossignol*, inspiré d'un conte d'Andersen. C'est l'imprésario russe Serge de Diaghilev qui, après la brillante réussite de Picasso dans les décors et costumes de ballet, avait persuadé Matisse de s'y essayer à son tour. *Le Chant du rossignol* fut un échec, et certains critiques raillèrent la délicatesse de conception et de coloris des costumes, pourtant parfaitement adaptés à la poésie de l'argument.

de tendresse que la doublure bleu ciel de son étui —, mais l'une de ses hantises est de perdre la vue, et il pense qu'il lui sera toujours possible, en allant jouer dans les cours, de faire vivre sa famille.)

De neuf heures à midi, Matisse travaille à son chevalet, le plus souvent d'après un modèle, puis, après le déjeuner, ou bien il fait la sieste, ou bien il va, en se promenant à travers les pins d'Alep et les pins parasols du jardin Albert-Ier, jusqu'à l'un des cafés de la place Masséna. A quatre heures, il reprend son travail et, à la nuit tombée, il ferme les persiennes et se met à dessiner sur les sujets qui l'ont occupé au cours de la journée. Pour lui, la continuité de l'effort est essentielle. Il se tourmente lorsque l'une des jeunes filles du pays qui pose pour lui réclame un jour de liberté et, au temps du carnaval, alors qu'elles ne tiennent plus en place, il se résigne à les faire poser de dos, à la fenêtre, afin qu'elles ne perdent rien du spectacle et que lui puisse continuer à travailler.

Tout de suite, les toiles de Nice revêtent un caractère très particulier. En premier lieu, elles apparaissent beaucoup plus proches de la vision directe des choses que ses œuvres. A Paris, sa tendance constante était de schématiser et de traiter les objets par l'abstraction; à Nice, son regard s'attarde sur le moindre détail de sa chambre d'hôtel et en fait l'inventaire. L'autoportrait qu'il a peint au cours de son premier hiver à Nice montre un gentilhomme campagnard vêtu d'un costume de tweed bien coupé, assis à son chevalet et peignant une toile qu'il semble dominer avec aisance : cette image ne porte aucune trace de la tension et de l'angoisse qui marquent son autoportrait de 1906, à Collioure. Pendant des années, Matisse s'est donné pour but de changer le cours de la peinture, et les toiles nées de cette exigence lui ont coûté des efforts intenses. Tout à coup, il se détend; les œuvres qu'il propose au public sont maintenant de pur agrément.

Le public est charmé; avant même la fin de la guerre, il réagit avec une chaleur nouvelle dans ses œuvres. En janvier 1918, lorsque Matisse expose avec Picasso à la galerie Paul Guillaume, Apollinaire observe dans l'introduction du catalogue que la beauté de la lumière du Midi semble avoir incité Matisse à se fier à la puissance et à l'authenticité de son instinct. La conviction commence à se répandre que la possession d'une toile de Matisse dispense un bonheur d'une rare et pure essence. Les toiles de Nice sont en effet représentatives d'une certaine idée de la civilisation française. Elles montrent la vie telle qu'elle pourrait et devrait être — une vie sereine, ordonnée, un délice de tous les instants accessible à tout le monde.

L'image, naturellement, est fausse. Même à Nice, la réalité n'est pas faite que de jolies femmes nues allongées dans des chambres pleines de fleurs. Chez Matisse, par exemple, le grand parapluie noir protégeant le lavabo des fuites du toit n'avait rien d'un détail, charmant en lui-même. Ce qui paraît simple et spontané est en vérité le résultat d'un dur travail, mais l'esprit qui préside à ce dur travail n'est plus le même. Prenons-en pour preuve deux tableaux de sujets similaires, l'un peint à Paris en 1917, l'autre à Nice deux ans plus tard. Dans *le Peintre et son modèle (page 110)*, exécuté dans l'atelier du quai Saint-Michel, Matisse a analysé, simplifié, disséqué le sujet jusqu'à l'os. La pièce elle-même se divise verticalement en deux zones, l'une claire, l'autre sombre, toutes deux dépouillées jusqu'à l'austérité; le modèle est réduit à une forme féminine anonyme assise dans un fauteuil, et l'artiste, au premier plan, n'est également qu'une silhouette à peine

Pendant dix-sept ans, Matisse occupa à Nice l'appartement avec balcon de l'étage supérieur de cet immeuble. Il fuyait, chaque été, la chaleur et la lumière aveuglante de la Côte d'Azur, mais cet appartement demeura sa résidence principale de 1921 à 1938. La photographie ci-dessus, prise pendant la Seconde Guerre mondiale, montre la peinture du camouflage dont la façade était bariolée pour la dissimuler aux raids aériens éventuels.

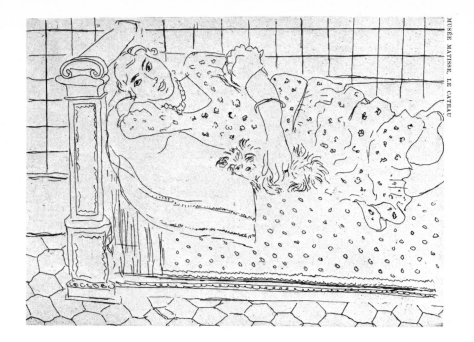

MUSÉE MATISSE, LE CATEAU

En 1929, Matisse délaisse
provisoirement la peinture pour
se consacrer à la sculpture et aux arts
graphiques. En quelques mois,
il grave plus de 120 planches.
Ces délicates eaux-fortes, telle
la *Femme couchée au chien (à gauche)*,
sont dominées par le thème favori
de l'artiste à cette époque : la femme.
Il fait poser son modèle — souvent
avec un petit chien ou des poissons
rouges — sur des arrière-plans chargés
d'ornements ou de tissus à ramages,
qui mettent en valeur son charme
alangui. Travaillant d'après le modèle,
il grave directement son dessin sur la
planche, au lieu de l'esquisser d'abord
sur le papier et de le transcrire
ensuite sur le cuivre ou le zinc.

dégrossie; ni l'un ni l'autre ne sont identifiables. Dans la toile de Nice,
l'Artiste et son modèle (page 111), c'est tout le contraire. L'artiste
assis à son chevalet en pyjama rayé est évidemment Matisse, et le
modèle nu, une désirable jeune femme parfaitement individualisée.
Alors que l'atelier de Paris apparaît vaste et vide, l'intérieur de Nice
suggère une chaude intimité : à part la toile posée devant le peintre,
aucune surface n'échappe à la luxuriance décorative et, qu'il s'agisse
des rideaux, du papier peint, du tapis de table, des coussins, des deux
vases de fleurs ou du carrelage, tous les plans du tableau se fragmentent
et s'animent de motifs divers. Le contraste est total avec les sévères
parallélogrammes de la composition de Paris.

A Nice, Matisse ne joue pas avec son art mais, en un sens, il joue
avec la vie. Comme un cadran solaire, il n'indique que les heures
claires. L'angoisse est absente des scènes qu'il représente, et ses modèles
sont gagnés par la langueur éternelle des femmes de harem qu'il
a étudiées en Afrique du Nord (l'un de ses accessoires favoris est
d'ailleurs un paravent ajouré de harem, qu'il a rapporté du Maroc).
Le public, épuisé par la guerre, veut croire que l'univers évoqué par
ces toiles est vrai. En l'espace de dix ans, ces tableaux de Nice se
vendront jusqu'à cinquante mille francs en vente aux enchères — cote
supérieure à celle des plus belles œuvres de Matisse avant 1914.

A l'automne de 1921, il décide d'abandonner la vie d'hôtel pour un
appartement. Une chambre d'hôtel ne constitue pas un atelier idéal
et Matisse est las d'avoir à déménager tous les ans, en mai, lorsque
les hôtels ferment en fin de saison. En outre, les prix de pension,
environ cinq francs par jour et par personne, lui paraissent élevés :
il a toujours ménagé ses deniers. Sa nouvelle résidence est située
place Charles-Félix, dans un vieux quartier de Nice qui existait bien
avant que la mode n'eût été lancée de passer l'hiver dans le Midi.
Dans cet appartement, son propriétaire, l'auteur américain Frank
Harris, a écrit sa copieuse et semi-pornographique autobiographie
intitulée *Ma vie et mes amours*. On ignore ce que Matisse pensait
de cette œuvre, mais sa nouvelle installation lui plaît beaucoup.
Au dernier étage d'un haut immeuble badigeonné d'ocre, cet appartement a vue sur la mer, dont le sépare une sorte de bâtisse à deux
étages, appelé les Ponchettes; à travers ses arcades délabrées arrivent
parfois jusqu'à Nice des effluves d'autres lointaines cités méditerranéennes — de Tunis peut-être, ou d'Alger.

De style italianisant, l'immeuble de Matisse possède un imposant escalier de marbre et quelques fresques sans prétention. La plupart des autres locataires sont des chanteurs de l'Opéra voisin. L'église baroque de Saint-François de Paule s'élève à deux pas, et les marchés au poisson et aux légumes arrivent presque jusque sous ses fenêtres. Matisse se prend de sympathie pour le restaurant d'en face, Chez Albert, que fréquentent de jeunes avocats du barreau de Nice et, parfois, le soir, il se rend à l'École des Arts décoratifs, dirigée par l'un de ses anciens condisciples de la classe de Gustave Moreau, Paul Audra. Il se met alors à dessiner d'après des plâtres aussi consciencieusement que jadis. Quelques-uns de ses amis habitent dans les environs : Simon Bussy à Roquebrune-Cap Martin, et Pierre Bonnard à Antibes. Mais, la plupart du temps, Matisse mène une vie quasi monacale, celle qu'il a toujours souhaitée où, tous les problèmes matériels étant réglés, les jours s'écoulent au rythme d'une invariable routine.

Matisse adore Nice et se plaît à peindre la ville, même les jours où la promenade des Anglais est balayée par les grêlons et où la baie des Anges change son bleu d'azur en brun café au lait. Mais les plus belles œuvres de cette période sont les scènes d'intérieur, où se trouve réalisé un admirable équilibre entre l'éclatante lumière du dehors et la lumière filtrée de la pièce. Matisse se sent maintenant tout à fait à l'aise avec l'art du passé : même Cézanne, qu'il a affronté avec tant d'acharnement, est pour lui désormais plus un ami qu'un adversaire. Aussi de nombreuses toiles de Nice sont-elles des variations sur des thèmes chers aux anciens maîtres français. On discerne des échos de Chardin et de Manet dans les natures mortes, d'Ingres dans les odalisques, de Delacroix dans les scènes de harem. Matisse cherche, non pas à imiter ses devanciers, mais à les interroger et à nourrir sa sensibilité des réponses qu'il découvre.

Les tableaux de Nice sont des images de cette totale plénitude et de cette sérénité que le peintre a toujours rêvé de conférer à ses œuvres. En elles, chacune des parties a la même importance que n'importe quelle autre. On n'y remarque pas de morceaux de bravoure à côté d'endroits où la touche se fait sèche et mécanique. Si tous les objets qu'il choisit de peindre ne manquent jamais de séduire — citrons cueillis du matin, meubles fraîchement cirés, reflets dansants des vagues ensoleillées, jeunes femmes en robes d'été immaculées —, la façon dont il les peint n'est pas moins séduisante. La matière est aussi belle que tout ce qu'elle sert à décrire. « Une œuvre, a dit un jour Matisse, doit porter en elle-même sa signification entière et l'imposer au spectateur avant même qu'il en connaisse le sujet. » Les toiles de Nice sont l'illustration de cette conviction : elles existent en tant que peintures, indépendamment de leur contenu.

Cela, aucun peintre n'y est totalement parvenu avant lui. Quand, au XVIIIe siècle, Boucher peignait l'une de ses nymphes nue ou demi-nue, toute son attention se concentrait sur la joliesse du modèle, le reste du tableau n'étant qu'un simple support. De même Chardin, incomparable lorsqu'il s'agit de traduire le velouté d'une pêche, la transparence ambrée d'une grappe de raisin, le cramoisi humide d'une fraise, se contentait parfois, autour de ces sujets de choix, d'un simple remplissage. Delacroix, comme Matisse, est allé en Afrique du Nord où l'ont fasciné les odalisques, et il a fixé ses souvenirs de scènes de harem en une série de portraits; comme Matisse, il s'est attaché à décrire leur provocant costume : pantalons bouffants à mi-jambe, corselet de soie fendu jusqu'à la taille, turban, bijoux d'or ornant la gorge et les poignets — mais il les a peintes selon la technique traditionnelle du clair-obscur. Tel n'est pas le cas de Matisse; chez lui, les odalisques déploient l'apparat de leur captivité sous la profuse, égale et débordante lumière méditerranéenne.

Les toiles de Nice créent une sorte d'univers ludique à l'usage des adultes, où tous les jouets sont neufs et dont aucun ne se brisera jamais. Matisse ne cesse d'ajouter au contenu de ces tableaux, de les compléter jusqu'à ce que chaque pouce de leur surface soit rempli. Dans *l'Intérieur au phonographe* de 1924, on voit, outre un vieux phonographe, une nature morte de fruits et d'ananas, des fleurs fraîches dans un vase, des fleurs tissées sur le tapis et les tentures, et au fond, toute petite, l'image du peintre reflétée dans un miroir. Le plaisir qu'il a pris à peindre tout cela, nous l'éprouvons à le regarder. Mais, à une Europe encore ébranlée par la guerre, les toiles de Nice apportent quelque chose de plus : elles contribuent à sa convalescence spirituelle. Elles persuadent ceux qui l'ont oublié qu'il est encore possible de s'asseoir au soleil et d'être simplement heureux. L'idée du plaisir renaît, et Matisse l'aide à reprendre vie.

Beaucoup d'artistes se seraient satisfaits de cette réussite — mais non Matisse. Il manque malgré tout aux tableaux de Nice une dimension que possédaient les œuvres antérieures du peintre : la monumentalité. Elles ne donnent pas au spectateur l'impression de renfermer quelque chose de plus grand, de plus fort, de plus définitif que ce qu'il aurait pu lui-même imaginer. Cette lacune tourmente Matisse et, en 1922, il se tourne de nouveau délibérément vers une discipline qui, par nature, est monumentale: la sculpture. De cette décision, après trois ans de travail, résultera le *Grand nu assis (page 108)*, la plus grande de ses sculptures depuis 1908. Cette femme nue renversée en arrière adopte une pose qui est, chez Matisse, presque obsessionnelle : les mains nouées à la nuque, une jambe repliée et le pied glissé sous l'autre genou; il l'a utilisée dans un dessin en 1923, puis l'a répétée dans plusieurs lithographies et, en 1924 enfin, dans une peinture intitulée *Nu au coussin bleu*. La figure sculptée ne s'appuie que sur du vide, tandis que les courbes puissantes du modèle peint sont mises en valeur à la fois par les courbes du fauteuil et du coussin, et par les formes rectangulaires des tentures murales et des tapis ornés de motifs hauts en couleur.

Conférer à un corps humain, réel et bien individualisé, un caractère monumental n'est pas aisé. Matisse devait trouver une pose susceptible de se dérouler d'une seule ligne continue de la tête aux pieds et des pieds à la tête, et il lui fallait en même temps composer avec les imperfections du modèle vivant. C'est une chose que d'imaginer une ligne impeccable, c'en est une tout autre de l'ajuster au fait que les seins n'ont pas toujours le galbe voulu ou que les muscles d'une jambe levée ne saillent pas à l'endroit souhaitable. Un corps peut être naturellement raide et crispé, alors que, pour les besoins de la cause, l'artiste le voudrait détendu, ou il peut se bosseler de façon peu harmonieuse et peu sculpturale là où précisément l'artiste ne l'admet que lisse et plat. Il faut alors trouver le moyen de réconcilier l'art et la nature.

En de telles circonstances, Matisse se retire habituellement dans son atelier, comme Noé dans son arche. Les relations sociales ne comptent plus pour lui. Rendant un jour visite à son vieil ami Marquet, à Paris, c'est à peine s'il jette un coup d'œil aux récents travaux de son hôte avant de se diriger vers d'anciens nus exécutés par lui-même

Matisse se tourne vers la sculpture lorsqu'il sent le besoin d'une trêve dans sa lutte avec les dimensions de la toile. Dans un cas, il mena de front les deux disciplines : ces quatre bas-reliefs au thème commun — une étude de dos féminin — s'échelonnent sur une période de plus de vingt ans, de 1909 à 1929. Ils constituent un témoignage unique de la façon dont, chez un même artiste, la conception d'un même sujet peut évoluer. En grandeur nature ou légèrement plus grands, ils commencent par une étude attentive, presque naturaliste et encore apparentée à l'art du XIXe siècle. Suivant un processus de simplification, Matisse arrive, dans la dernière version, à réduire *le Dos* à deux puissantes colonnes que sépare la lourde coulée de la tresse de cheveux. Son propos est de s'éloigner de l'imitation de la nature pour progresser vers son but, identique en sculpture comme en peinture : découvrir un équivalent de la forme humaine plus fidèle à la « vérité du réel » qu'aucune représentation laborieuse conforme à l'expérience visuelle — et d'autant plus exacte et significative qu'elle est un pur produit de l'activité créatrice de l'artiste.

et accrochés au mur. Il s'en excuse en ces termes : « Je suis trop dans ce que je fais. Je ne peux pas en sortir; pour moi, rien d'autre n'existe. »

Pendant un temps, au cours de cette période de recherche, Matisse laisse la vie prendre le pas sur l'art. Les odalisques, qui occupent le centre d'intérieurs décoratifs datant du début des années 1920, ne sont plus, si on les examine bien, des poupées idéalisées, mais bien des bourgeoises françaises légèrement empâtées, au visage bouffi et au regard vide, aux poses d'une grâce discutable. En outre — et cela est nouveau chez Matisse, dont les nus se situaient jusqu'alors hors du temps —, d'après leur coiffure et leurs sourcils épilés, ces femmes appartiennent manifestement aux années 1920.

Mais, là encore, un obstacle barre à Matisse la voie de la monumentalité. L'affaissement trop véridique, la lourdeur poignante de ces chairs entraînent toute la composition vers la terre. Psychologiquement, le résultat est intéressant, mais Matisse ne se sent nullement tenu d'explorer la psychologie de la Française des classes moyennes, ce qui est, selon lui, l'affaire du romancier. En outre, l'équilibre pictural se trouverait menacé si le corps humain assumait un poids de sentiment qui ne pourrait affecter les autres éléments du tableau — tapis, fleurs ou mobilier — et, aux yeux de Matisse, cet équilibre est essentiel. Tout commentaire sur la précarité de la beauté humaine lui paraît également hors de propos : il regarde d'un même œil un corps affecté par le poids des ans et une poire à demi rongée par les guêpes.

En fait, dans cette quête de la monumentalité, Matisse n'avait pas besoin de porter ses regards au-delà des murs de sa propre demeure, où se trouvaient accrochés presque côte à côte le portrait fané d'un majestueux et impassible lama tibétain du XVIIIe siècle et, sous la protection d'un verre, un fragile et merveilleux tapis persan du XVIe siècle. Dans l'immobilité du lama et dans les insistantes arabesques du tapis, Matisse va trouver la double inspiration de la grande toile qui finira par exorciser son démon, la *Figure décorative sur fond ornemental (page 109)*. Les dessins préliminaires montrent le modèle nonchalamment appuyé contre le mur, attitude modifiée pour la toile définitive terminée en 1927, où le corps de la femme, à la petite tête en casque, est redressé et rectiligne, et porte des seins petits et stylisés, non comme ses modèles vivants, mais comme son *Grand Nu assis* sculpté.

La *Figure décorative sur fond ornemental* représente l'aboutissement

de toutes les préoccupations de Matisse au cours de la période de Nice : obsession du décor, monumentalité, beauté des objets quotidiens, sensualité du nu féminin. La figure centrale est assez puissante pour s'imposer malgré tout sur ce fond plus lourdement chargé de motifs qu'aucune autre toile depuis la Desserte, harmonie rouge de 1909. Les arabesques répétées du papier peint, les motifs du tapis persan, le coussin à fleurs, le cache-pot décoré, la coupe de fruits, le miroir doré baroque, tout cela semble hurler en même temps au plus haut diapason. Il a suffi à Matisse de tricher un peu — mais très légèrement — pour y mettre bon ordre. Autour de la tête du modèle, une zone à peine assourdie diminue la pression du décor, et une draperie enroulée au bas du corps l'isole d'un voisinage oppressant. Cette toile compte parmi les plus réussies qu'il ait jamais peintes. L'ayant achevée, il met provisoirement un terme à ses investigations.

Matisse est l'un des grands exemples de ce qu'il est convenu d'appeler la « clarté française »; cette lucidité d'esprit lui permet de savoir exactement ce qu'il fait et pour quelles raisons. En 1927, il y a juste dix ans qu'il travaille à Nice, dix ans pendant lesquels, de son propre gré, il a mené une vie retirée toute consacrée à son œuvre et s'est acquis une célébrité nouvelle en tant que poète lauréat d'une société fortunée et sans problèmes, qui n'aime rien tant que de voir Matisse lui tendre le miroir du bonheur de vivre. Mais quelque chose de facile dans ce succès irrite Matisse. Trop de ses grandes toiles sont inconnues de ce nouveau public. En 1927, comme pour rétablir la vérité, il remet certaines d'entre elles en circulation. Il envoie les Marocains à New York, pour une exposition organisée par son fils Pierre à la galerie Valentine Dudensing (Pierre, parti pour les États-Unis en 1924, commence à s'y faire un nom comme marchand de tableaux); l'année suivante, il expédie à Paris, également pour une exposition, la Leçon de piano et Demoiselles à la rivière.

En cette même année 1927, l'Exposition internationale Carnegie de Pittsburgh confirme la réputation de Matisse aux États-Unis en lui attribuant le premier prix pour ses Fruits et fleurs, somptueuse nature morte caractéristique de la période de Nice. Mais l'artiste, au lieu de mettre ce succès à profit, va pratiquement abandonner la peinture. En 1929, par exemple, il se donne presque entièrement à l'exécution de plus de cent gravures et d'un bas-relief en bronze intitulé le Dos, quatrième étude d'une série de dos féminins commencée en 1909, et dont chacun marque une étape vers une liberté toujours plus grande à l'égard de l'anatomie. On dirait que Matisse, écoutant la voix de la « clarté française », se résout à mettre en veilleuse son activité de peintre jusqu'à ce que survienne un événement qui lui donne une orientation nouvelle.

Soudain, en 1930, cette impulsion attendue se produit. L'Exposition internationale Carnegie le prie de venir à Pittsburgh au titre de membre du jury. Normalement, Matisse n'aurait jamais envisagé de fermer son atelier pour aller à l'étranger afin d'examiner les œuvres des autres. Mais cette invitation se trouve coïncider avec une aspiration latente : depuis des années, Matisse a envie de voir les mers du Sud. Pourquoi, pense-t-il, ne pas tout concilier ? C'est ainsi qu'il va se rendre, tout d'abord en Océanie — en faisant visite au passage à son fils Pierre à New York — puis, trois mois plus tard, à Pittsburgh pour participer aux délibérations du Prix Carnegie. Cette décision en entraînera d'autres, qui se révéleront fondamentales pour le reste de sa carrière.

La Danse II, 1932-1933

A la poursuite
de la simplicité

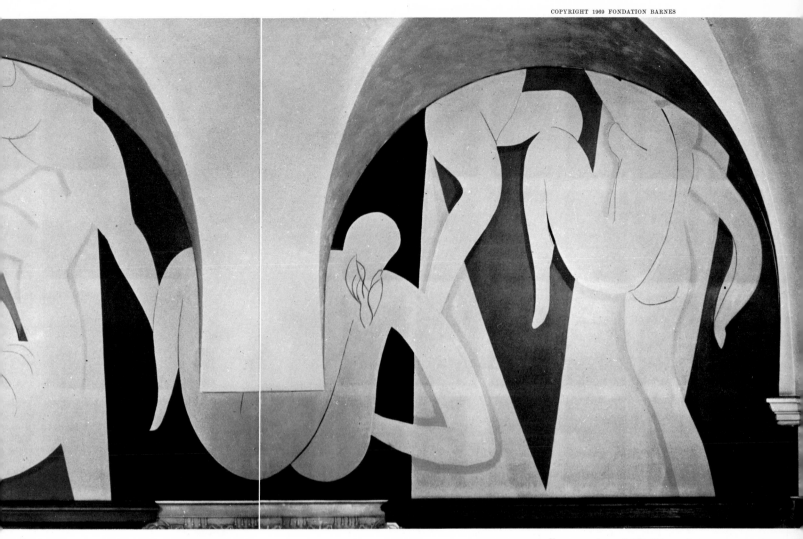

La version définitive de
la Danse de la fondation
Barnes, aboutissement
d'innombrables dessins et
esquisses en couleurs, démontre
le dépouillement raffiné du
style de Matisse en sa maturité.

En 1930, las de la sévère discipline de travail
qu'il s'impose depuis près de trente ans, Matisse
secoue sa routine quotidienne et quitte la France.
Il se rend d'abord aux États-Unis, puis à Tahiti,
pour voir de ses yeux la lumière et les îles
qui avaient captivé Gauguin. Cette évasion
le régénère et, un an plus tard, à son retour
à Nice, il entreprend un projet où, jusqu'à la limite
de ses forces, il tendra vers le but obsessionnel
de son art : simplifier la peinture. Il s'agit d'un
gigantesque et complexe décor mural *(ci-dessus)*
que lui a commandé le Dr. Barnes, de Merion,
Pennsylvanie. Dans ce panneau et dans les toiles
ultérieures, l'art de Matisse se raffine et se distille
et, pour certaines œuvres, de nombreuses versions
du même sujet nous permettent de suivre pas à
pas le processus d'épuration de sa peinture
jusqu'à l'ultime simplicité.

Ce n'est pas un, mais deux panneaux
que Matisse a peints pour la fondation Barnes :
la mésaventure arrivée au premier aurait
sans doute découragé tout autre artiste.
Ce décor devait s'insérer dans trois grandes
arches, au-dessus des portes d'entrée du musée
privé du collectionneur. Matisse opta pour
le thème de la danse, qu'il avait déjà utilisé
pour décorer, à Moscou, la demeure de
Chtchoukine *(page 88)*. Les premières
esquisses en couleurs *(à droite)* rappellent
d'ailleurs le panneau de Moscou par les formes
frustes des danseuses et la gamme crue
des couleurs. Mais la version définitive
du premier panneau Barnes montre un
dessin pur et un chromatisme plus calme.

Après plus d'un an de travail angoissé,
la composition est envoyée à Merion pour
la mise en place. Éclate alors la catastrophique
nouvelle : dans le calcul des dimensions
— l'ensemble mesurant 3,55 m de haut
sur 12,80 m de large —, il s'est trompé
sur la largeur donnée à la base des pendentifs.
Résolument, il recommence tout et,
six mois plus tard, achève une seconde
version de *la Danse (pages précédentes)*,
plus stylisée encore que la première —
laquelle, en 1937, sera acquise par le
musée d'Art moderne de la Ville de Paris
et, en 1968, sera exposée à Londres
(détail ci-dessus), à l'occasion d'une grande
rétrospective de l'œuvre de Matisse.

La Danse I (esquisse préliminaire)

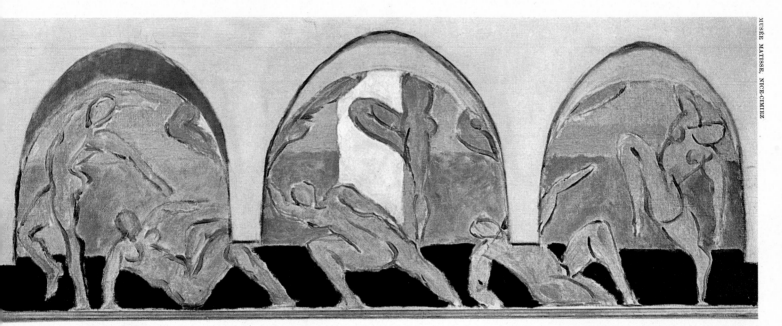

La Danse I (esquisse préliminaire)

La Danse I, 1931-1932

133

1 **2** **3**

9 **10** **11**

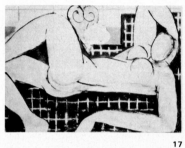  

17 **18** **19**

20 **21** **22**

Matisse nous a laissé un prodigieux témoignage de sa méthode
de travail dans cette série de photographies en noir et blanc, prises
des 22 états successifs de sa toile *Nu rose*. Sa première étude date du
3 mai 1935 (1) et sa dernière du 30 octobre. Les vues numérotées
ci-dessus retracent les étapes de son combat créateur pour aboutir à
un chef-d'œuvre. C'est d'abord le portrait d'une capiteuse fille couchée
sur un divan, l'angle de la pièce suggérant une impression de
perspective traditionnelle. Puis, Matisse agrandit les membres du modèle
et réduit la profondeur jusqu'à supprimer l'angle de la pièce (6).
A la neuvième version, l'arrière-plan est devenu totalement plat, et le
modèle est maintenant si proche du plan de la toile que son pied et son
coude sortent du cadre. Soumis à une suite d'étirements et de modifications,
le corps domine finalement toute la composition (16). A partir de ce
point extrême, les membres se rétractent, les coudes et les genoux
s'arrondissent, le torse se détend et s'adoucit (18-20). De nouveau, la
tête se redresse (21), la jambe gauche accentue sa flexion sous le
corps — et l'artiste considère enfin son œuvre comme finie *(22 et à droite)*.

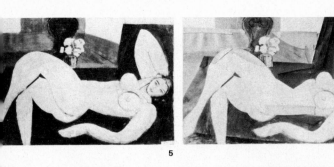

5   6   7   8

13   14   15   16

Nu rose, 1935

Nature morte rouge au magnolia, 1941

Le génie de Matisse pour la
composition joue un rôle fondamental
dans sa recherche de la simplification.
Même après la grave maladie de
1940-1941 qui l'affaiblit au point
de l'obliger souvent à garder le lit,
son souci de construction reste
inébranlé. L'une de ses natures
mortes préférées de cette époque
(à gauche) a pu être comparée
aux retables romans d'un si
rigoureux équilibre, que Matisse
a dû voir dans les églises et les
musées du Sud-Ouest de la France :
le Christ ou la Vierge en occupent
le centre, et quatre saints placés
aux angles assurent la stabilité
et la force de l'ensemble. Dans
la toile de gauche, le vase de
feuillage avec une seule fleur est
placé au point focal; derrière,
un plateau et son anse forment une
sorte d'auréole qui sert aussi à
unifier, entre eux et avec le centre,
le pichet, le vase, la plante et le
coquillage disposés dans les angles.
L'harmonie ainsi réalisée est si
parfaite que la suppression d'un seul
objet causerait l'effondrement
de la composition tout entière.

Certains des objets figurant dans
cette toile et dans celle de *Tabac
Royal (pages suivantes)* attestent
l'attachement de Matisse à ces
compagnons de sa vie quotidienne.
Le pichet d'étain et le coquillage
de droite, le luth et le pot de faïence
portant l'inscription « Tabac Royal »
des pages suivantes réapparaissent
constamment dans les tableaux de
l'artiste. *Tabac Royal* est la
quatrième d'une série de toiles
qu'il peint en 1942-1943, et qui
toutes donnent l'éclatante
démonstration de sa capacité de
puiser l'inspiration dans les choses les
plus simples. « J'ai toujours essayé
de dissimuler mes efforts, dira Matisse
vers la fin de sa vie, j'ai toujours
souhaité que mes œuvres aient
la légèreté et la gaieté du printemps
qui ne laisse jamais soupçonner
le travail qu'il a coûté. »

137

TABAC ROYAL.

Tabac Royal, 1943

VII

Le décor monumental de la fondation Barnes

Lorsque Matisse décide, en 1930, de mettre à exécution son projet de voyage à New York et en Océanie, il est arrivé à un tournant critique de sa carrière. Depuis des années, il vit cloîtré dans son atelier. Il ne voit que rarement d'autres peintres et n'a presque aucun contact avec les gens qui l'admirent et lui achètent ses tableaux. Sa vie privée elle-même est solitaire. Mme Matisse, souffrante, garde la chambre pendant des mois, et ses trois enfants sont dispersés de par le monde. Aucun événement nouveau ne venant stimuler son esprit, sa production de tableaux se ralentit, devient quasi nulle. Certes, il ne reste pas inactif : eaux-fortes, pointes sèches, lithographies et sculptures prennent le relais de la peinture. Mais il ne peut se dissimuler qu'il a besoin de changement. Méthodique en toute chose, il opte pour un changement aussi radical que possible : en quelques mois, il se soumettra à deux expériences de dépaysements diamétralement opposées : New York et Tahiti.

Matisse, tout de suite, se plaît à New York, à tel point même qu'il est tenté, dit-il, d'annuler le reste de son voyage et d'y louer un atelier. La différence de lumière, la différence d'échelle, les différences de réactions humaines dans toutes les circonstances de la vie lui apportent exactement le renouvellement qui lui était nécessaire. Alors que la plupart des Européens cultivés regardent les États-Unis comme une Barbarie mécanisée, et les Américains comme des gens qui achètent des tableaux mais sont incapables d'en produire, l'opinion de Matisse est plus réfléchie. Sans porter de jugement personnel sur le courant artistique américain, il laisse entendre qu'il le croit voué à un grand avenir. S'entretenant avec un journaliste du *New York Times*, il lui fait observer que l'art est toujours le produit du milieu : « Le ciel gris de la Hollande, aurait-il dit, se reflète dans la peinture hollandaise, de même que le soleil d'Italie se reflète dans la peinture italienne. » En outre, selon lui, « la pensée des peuples, au même titre que leurs activités, exerce une influence sur les toiles que peignent leurs artistes. »

S'interrompant pour essuyer ses épais verres de lunettes avec un mouchoir de soie marron clair assorti à son costume brun rouille, Matisse poursuit en évoquant le caractère particulier de New York, l'aspect de la ville telle qu'on la découvre en entrant dans le port, et le panorama qui s'offre du haut du Woolworth Building, l'un des premiers gratte-ciel du monde : « C'est là une civilisation toute différente de notre civilisation européenne, dit-il. Nul ne peut avoir une idée de la grandeur de New York sans l'avoir vue de ses yeux. J'ai vu New York moi-même des milliers de fois au cinéma, mais son immensité dépasse l'entendement... Comparez tout cela avec ce qui existait il y a cinquante ou cent ans, et vous comprendrez pourquoi un changement apparemment aussi radical s'est produit dans la peinture... »

Si fasciné soit-il par New York, Matisse n'est cependant pas homme à modifier son programme. Il n'y demeure que deux ou trois jours puis, traversant les États-Unis, il arrive à San Francisco, d'où il s'embarque pour Tahiti. Ce n'est pas une banale curiosité de l'exotisme qui l'attire en Polynésie; encore moins le dégoût de la civilisation occidentale qui, à Gauguin, fit préférer l'exil. Matisse, lui, rêve de trouver dans les mers du Sud une lumière plus intense et plus chaleureuse que toutes celles qu'il a connues, et il s'accorde trois mois à Tahiti pour s'en imprégner.

Mais il n'est pas toujours facile de s'adapter à la réalité d'un pays dont on a longtemps rêvé. Par tempérament, Matisse n'est pas fait pour l'Océanie. C'est un tourmenté, mais chez lui l'angoisse est vitale et constructive. Or, à Tahiti, les soucis sont inconnus. Tous les Européens qu'il rencontre s'ennuient, et les Tahitiens lui paraissent dépourvus de cette dimension morale née de la confrontation de ce qu'on a fait avec l'idée de ce qu'on aurait pu faire.

« Je me souviens, écrira-t-il, que, tout d'abord, à mon arrivée, ce fut décevant... J'ai vécu trois mois, absorbé par l'ambiance, sans idée devant la nouveauté de tout ce que je voyais, anéanti, emmagasinant inconsciemment beaucoup de choses. » La lumière, là-bas, n'a rien de commun avec la lumière fine et argentée de Nice : « C'est un gobelet d'or profond dans lequel on regarde. » Les sons aussi sont différents : « Les feuilles des hauts cocotiers retroussés par les alizés faisaient un bruit soyeux. Ce bruit de feuilles était posé sur le grondement de fond d'orchestre des vagues de la mer, vagues qui venaient se briser sur les récifs qui entourent l'île. Je me baignais dans le lagon.

Les Européens qui, avant la Première Guerre mondiale, se trouvaient vivre — pour les nécessités de leur profession ou par suite d'un exil plus ou moins volontaire — dans les régions lointaines du globe, s'efforçaient de recréer un peu de leur patrie sur ces terres exotiques. Ce rocking-chair victorien, que Matisse a dessiné à Tahiti, pendant le séjour de trois mois qu'il y fit en 1930, témoigne de cette nostalgie coloniale — de même que son désir de le fixer traduisait peut-être son dépaysement. C'est, en tout cas, l'une des rares œuvres qu'il exécuta pendant la durée de son séjour en Océanie.

Je nageais autour des couleurs des coraux soutenues par les accents piquants et noirs des holothuries. Je plongeais la tête dans l'eau, transparente sur le fond absinthe du lagon, les yeux grands ouverts... et puis brusquement je relevais la tête au-dessus de l'eau et fixais l'ensemble lumineux des contrastes... »

Certains artistes seraient revenus d'un tel voyage avec tout un stock de toiles. Ce n'est pas le style de Matisse. Ce qu'il a été chercher à Tahiti, c'est un répertoire d'images dont il se servira plus tard. Bien qu'il ait rempli des pages et des pages de carnets de croquis, il s'écoulera plusieurs années avant qu'il les utilise. Pendant longtemps, en fait, on pourra croire que l'unique souvenir rapporté de son séjour dans les mers du Sud est un dessin à la plume, publié dans les *Cahiers d'art* en 1936, représentant un fauteuil à bascule tarabiscoté, d'époque victorienne, qui se trouvait dans sa chambre d'hôtel à Tahiti. C'est seulement dans la dernière et glorieuse phase de sa carrière, au cours des années 1950, que réapparaîtront dans son œuvre les couleurs et les formes de la mer et des îles polynésiennes.

En octobre 1930, Matisse est de retour aux États-Unis pour remplir ses obligations de membre du jury de la 29e exposition internationale Carnegie, aux côtés de cinq autres peintres, l'Autrichien Karl Sterrer, l'Anglais Glyn Philpot, les deux Américains Bernard Karfiol et Ross Moffett et le Canadien Horatio Walker. Entre tous les exposants, — quatre-vingt-dix-neuf Américains et cent trente-sept Européens —, c'est Picasso qui remporte le prix pour un strict et classique portrait de Mme Picasso. Sans s'attarder à Pittsburgh, Matisse revient presque aussitôt à New York. Les journalistes le rejoignent et s'efforcent de le faire parler, mais il se cantonne dans les sujets généraux. Il précise cependant qu'il n'aimerait pas vivre à Tahiti et serait incapable d'y travailler : « Je ne suis pas Gauguin », dit-il. Il leur confirme qu'il admire toujours beaucoup New York et les États-Unis : « Les artistes américains ne devraient pas avoir honte de leur pays; il est magnifique. Pourquoi vos peintres vont-ils à l'étranger, alors qu'ils ont chez eux des paysages si beaux et si variés? »

De New York, il fait un rapide voyage en direction du Sud, pour voir les deux grandes collections américaines de ses œuvres, la collection Cone de Baltimore et la collection Barnes dans la banlieue de Philadelphie. A Baltimore, il est l'invité de Miss Etta (dont la sœur, le Dr Claribel vient de mourir), et la ville le reçoit avec honneur. Mais la visite la plus importante pour lui sur le plan de l'avenir est celle qu'il rend par courtoisie au Dr Albert Barnes — qui a fait fortune dans les produits pharmaceutiques —, le grand collectionneur de Merion, Pennsylvanie. C'est vers 1914 que le Dr Barnes a commencé à acheter des toiles de Matisse, peu de temps après avoir vu celles des Stein, rue de Fleurus. Il a poursuivi ses acquisitions pendant toutes les années 1920, de sorte que sa collection de Matisse est maintenant la plus importante des États-Unis. De caractère difficile et de manières brutales, Barnes a la manie de la contradiction. Il n'aurait pu néanmoins faire meilleur usage de son immense fortune. En ce qui concerne la période de l'art français couverte par Renoir, Cézanne, Seurat, Picasso et Matisse, il est peu probable que la collection Barnes puisse jamais être égalée.

La fondation Barnes, édifice adjacent à la résidence du mécène, n'a guère changé depuis ce jour de 1930 où Matisse franchit son modeste portail. Le spectacle qui s'offre alors à lui — et qui s'offre toujours au visiteur — est prodigieux : il se trouve dans un grand hall haut de deux étages et entouré d'une galerie, et voit, accrochés aux murs son *Riffain* de 1913 (acheté par Barnes à son premier propriétaire, le collectionneur danois Tetzen Lund); *les Poseuses* de Seurat, tableau que Matisse n'a pas vu depuis trente ans; une grande *Composition* de 1906, de Picasso, et l'une des plus magnifiques toiles de la série des *Joueurs de cartes* de Cézanne. Ce ne sont là que quelques-uns des chefs-d'œuvre offerts à la vue de Matisse. Sur le palier du premier étage, par exemple, il retrouve son tableau *la Joie de vivre*, vendu par les Stein à Tetzen Lund et acheté à ce dernier par le Dr Barnes.

A peine Matisse a-t-il le temps d'enregistrer toutes ces merveilles que Barnes, tout à coup, le saisit par le bras et lui annonce qu'il a pris une décision : Matisse doit décorer l'espace vide qui se trouve au-dessus des portes de l'entrée — espace qui mesure 3,55 m de haut sur près de 12,80 m de large. Cette déclaration prend Matisse au dépourvu, et les surprises ne sont guère son fait; il n'est pas homme non plus à se laisser émouvoir par de telles offres. Mais Barnes est tout différent de ses autres clients américains supercivilisés, tels les Stein ou les Cone. Il a la réputation d'être un rustre autoritaire, et il insiste, si résolu même à faire céder Matisse qu'il lui fait presque manquer un rendez-vous convenu pour un déjeuner : lorsqu'un ami vient chercher Matisse pour l'emmener, il trouve la porte de la fondation verrouillée et ne réussit à s'introduire dans l'édifice que par une trappe à charbon.

La splendeur de la collection Barnes et le discernement qui a présidé à son choix ont profondément impressionné Matisse. C'est cela, plus que les facultés de persuasion du docteur, qui le convaincra finalement d'accepter cette commande. Son acceptation semble, rétrospectivement, voulue par le destin. L'offre de Barnes arrive juste en une période de sa vie où il s'est détourné de la peinture de chevalet, et elle lui fournit l'occasion de travailler à une tout autre échelle; elle se produit aussi à une époque où les commandes américaines se font rares, particulièrement celles qui impliquent un projet de caractère architectural. Il n'a pas donné de réponse immédiate au Dr Barnes, mais continue de réfléchir à sa proposition après son retour en France : elle lui semble de plus en plus la meilleure chose à faire. En janvier 1931, il envoie au Dr Barnes son acceptation formelle, loue à Nice un studio de cinéma abandonné, et se met au travail.

Matisse apprécie le bien-fondé des strictes mesures et réglementations imposées par Barnes pour le fonctionnement de sa fondation, mesures que beaucoup considèrent comme de la perversité pure. Pour Barnes, cette fondation est un lieu dédié à l'étude approfondie de l'art, et il sélectionne sévèrement ses visiteurs : être admis à voir ses toiles est un privilège, et un privilège se mérite. Matisse et lui ont en commun la même sorte d'obstination intransigeante. Pour un amateur pénétré d'une si haute idée de l'art, le peintre veut créer quelque chose d'entièrement nouveau, une œuvre à laquelle lui-même ne se sera jamais essayé auparavant. Les États-Unis ne manquent pas de chefs-d'œuvre européens, mais ils ne possèdent pas encore une grande œuvre d'art européenne résultant d'une commande spéciale : sur les instances du Dr Barnes, Matisse va remédier à cet état de choses.

L'espace à remplir consiste en trois arches contiguës, que Matisse aurait pu traiter comme trois éléments distincts. Dans ce cas, son décor aurait présenté l'aspect d'une rangée de tableaux de chevalet

Matisse n'avait jamais représenté la douleur physique avant 1935 environ, époque où il accepta, pour le Limited Editions Club de New York, de graver des illustrations — parmi lesquelles « l'Aveuglement de Polyphème » *(ci-dessus)* — destinées à une nouvelle édition d'*Ulysse*, le roman épique de James Joyce. Toujours consciencieux, il demanda une inspiration à l'art du passé. Dans l'œuvre d'Antonio del Pollaiuolo, artiste florentin du XVe siècle, il découvrit un petit tableau représentant Hercule terrassant le géant Antée. Matisse modifia et transforma l'Antée de Pollaiuolo jusqu'à ce qu'il devînt le colosse Polyphème, gisant et souffrant sous la torture.

superposés à ceux exposés sur le mur; mais ces dernières toiles sont trop magistrales pour supporter pareille interférence, et, d'autre part, les surfaces que Matisse doit couvrir sont situées trop haut pour que, traitées de cette manière, le regard les embrasse de façon satisfaisante. Matisse décide donc de laisser plutôt sa composition se développer à la cimaise d'un seul mouvement horizontal continu, qui viendra en complément des toiles accrochées plus bas, au lieu d'essayer de rivaliser avec elles. Ce décor devra chercher à créer une impression, non à attirer le regard : « On le sentira plus qu'on ne le verra », dit Matisse; il sera conçu comme une œuvre à mi-chemin de la peinture et de l'architecture, et deviendra « l'équivalent de la pierre ou du ciment. »

Dans les toiles exposées sur ce mur, le thème dominant est celui de l'immobilité. Les joueurs de cartes de Cézanne étudient silencieusement leur jeu comme si la partie ne devait jamais reprendre; les modèles nus de Seurat semblent figés dans leur pose pour l'éternité; même le Riffain de Matisse, drapé dans son manteau berbère, ouvre sur le vide un regard fixe. Pour faire ressortir cet effet de concentration statique, le peintre va, dans son décor, déchaîner le mouvement. Il recourt une fois de plus à un thème qui lui a réussi plusieurs fois dans le passé, la danse. Mais ses danseuses, ici, sont possédées d'un dynamisme surhumain : elles s'envolent, bondissent, lancent haut les jambes, retombent les unes sur les autres, s'écroulent à la renverse puis se relèvent comme pour se rejeter dans l'impétueux tourbillon.

Les premières esquisses de Matisse pour ce panneau montrent la composition centrée sur une danseuse, légèrement à droite du milieu, qui, parmi les tournoiements et les retombées de ses compagnes, se tient en équilibre sur une jambe, ferme comme une colonne du Parthénon. Très vite, cependant, l'artiste la supprime — sans doute parce que sa verticalité statique brisait l'impulsion qui emporte toute la composition de la droite vers la gauche, et qui, donnée par la haute détente de la danseuse d'extrême droite, se propage jusqu'à la figure bondissante d'extrême gauche, que son élan fait à moitié sortir du cadre.

En 1931, Matisse a mis au point la version définitive de la composition. Pour ce travail, il a inventé une technique de dessin qui se révélera d'une singulière importance dans la suite de sa carrière. Il trace toujours ses compositions en grandeur réelle, mais il s'était ainsi habitué à une échelle qui s'accorde sans effort à l'envergure du bras humain, une échelle suffisamment réduite pour lui permettre de couvrir une feuille de papier d'un seul et même mouvement de la main et du bras. Pour le panneau de Barnes, la chose est impossible. Afin de retrouver la liberté de tracé d'un dessin à échelle agrandie, Matisse fixe un fusain au bout d'un bambou de près de 2 m de long et, debout, face à une immense feuille de papier fixée au mur de son atelier, il définit le contour de ses figures. Ce sont des figures gigantesques, dont il exagère encore les proportions par une mise en place qui ne laisse jamais voir aucune danseuse en entier. Il y a toujours une partie du corps — la tête, les pieds, la totalité d'un torse même — qui semble avoir été emportée hors des limites du panneau par la fougue de l'effort déployé.

Dans les esquisses finales s'affirme, plus que jamais, la volonté de simplification de Matisse. Le modelé des premières versions est aussi attentif que celui d'un ancien maître. Les figures, indiquées en volume, présentent même un certain degré d'individualisation. Mais il les réduit progressivement à deux dimensions, les épure et transfère à la

Vers la fin des années 30,
vingt-six artistes acceptèrent, à
l'exemple de Matisse, de fournir à la
manufacture américaine de cristal
Steuben Glass des modèles de
décors pour une collection spéciale.
C'est d'ailleurs Matisse qui avait
déclenché toute l'affaire. En 1937,
après avoir vu une pièce de cristal
gravé, il avait stupéfié John
M. Gates, représentant de la firme,
en lui proposant de créer un modèle
pour lui. Ainsi naquit ce motif
de satyre jouant de la flûte double.
Gravé par les artisans de Steuben,
son dessin très libre encadré de
pampres *(en haut)* se métamorphosa
en un vase néo-classique *(ci-dessus)*.

pureté du contour l'intérêt qu'il portait au jeu noueux de la musculature. Dans sa connaissance approfondie de l'histoire de l'art, Matisse a pu se souvenir des anatomies précises d'Antonio del Pollaiuolo, maître italien du XVe siècle, ou, plus loin encore, des figures aiguës et schématiques dessinées sur les flancs des vases grecs antiques.

Les amis de Matisse s'aperçoivent de la considérable tension nerveuse que lui impose ce travail. Généralement, il vient les voir le dimanche après-midi, dans sa voiture américaine conduite par un chauffeur, prend place courtoisement parmi eux et les divertit en leur racontant des anecdotes. L'artiste, quand il le veut bien, peut être un charmant compagnon, et ses dons de mime emportent les suffrages des plus exigeants (d'ailleurs, il aurait pu faire un très bon acteur de composition, et il est enchanté qu'on le lui dise). Mais les soucis que lui cause la décoration de Barnes lui font oublier ces talents. Auprès de ses amis, il reste maintenant taciturne, visiblement angoissé par l'immensité de la tâche entreprise. Il est en proie, autant qu'un débutant — plus, peut-être — à la crainte que tout n'aille pas pour le mieux. Il va parfois jusqu'à télégraphier un appel au secours affolé à ses amis : le décor est dans un état épouvantable ; il ne domine plus la composition ; la lumière ne vaut rien ; tout est désespérant ; qu'ils arrivent tout de suite !

Quand, après des mois de préparation, Matisse se décide enfin à transcrire sa vision définitive, il le fait d'un seul jet : « C'était en moi comme un rythme qui me portait », dira-t-il plus tard. Mais sa joie est de courte durée, car il se trouve aussitôt confronté à un autre problème, celui de la couleur. Il a exécuté plusieurs essais de mise en couleur, certains à peine plus grands que la main : l'un montre des corps fauves et jaunes sur un fond ocre ; sur un autre, ils sont gris sur fond blanc ; sur un troisième, bleu pâle sur fond jaune-vert ; sur un quatrième enfin, bleu-gris sur fond de panneaux roses, noirs et outremer. Aucun ne lui convient, mais il poursuit ses recherches. L'ennui, c'est que de grandes surfaces colorées se mettent souvent à vivre d'une vie propre, modifiant la composition de façon non préméditée. Et, quand Matisse en arrive à la mise en couleur de l'ensemble, il s'aperçoit que sa distribution si parfaitement équilibrée des formes doit être changée : « Pour arriver à quelque chose de vivant et de chantant, j'ai dû avancer en tâtonnant, modifiant continuellement. »

Comme il est impossible de procéder à toutes ces transformations au pinceau, l'artiste trouve une idée : il découpe ses essais de formes dans des papiers colorés, faciles à bouger et à fixer sur le mur. Bientôt, le visiteur exceptionnellement admis à pénétrer dans l'atelier de Matisse le trouve environné d'un amas de papiers de couleur, en train de travailler à un panneau qui n'est plus fait que de pièces et de morceaux épinglés au mur. L'un après l'autre, ses problèmes se résolvent. Les figures ne sont plus que des formes gris pierre se détachant sur des surfaces géométriques roses, bleu pâle et noires. Les danseuses ont été réduites au nombre de six : l'une bondit si haut qu'elle est presque hors de vue ; deux autres, momentanément tombées à terre, observent leurs compagnes. Il serait difficile de surpasser cette évocation de folle exubérance physique, et Matisse dut avoir le sentiment qu'il avait rempli son contrat en bon artisan, dans la meilleure et la plus scrupuleuse tradition française.

C'était vrai, mis à part un léger défaut : il s'était trompé dans les dimensions des pendentifs, leur donnant « 50 cm au lieu de 1 m de largeur à la base. » Nul ne sait ce que Matisse a pu dire lorsqu'il découvrit son erreur. Un autre artiste eût sans doute arrangé les choses en demandant à un assistant de calculer dans quelle mesure il convenait de modifier la composition pour rétablir les proportions voulues, et se serait contenté d'une réplique corrigée de la première version. Matisse n'est pas ainsi. Pour lui, le changement de dimensions implique un problème de composition entièrement renouvelé. Sans hésitation, il efface une année de travail et recommence tout à zéro. Six mois plus tard, un nouveau panneau est prêt, dissemblable du premier sur le plan de la conception plastique et totalement différent sur le plan du sentiment. (Le premier panneau sera, en fin de compte, acquis par le musée d'Art moderne de la Ville de Paris.)

Les exultantes évolutions de la version I deviennent, dans la version II, une sorte de combat mimé, auquel les danseuses se livrent comme si leur vie en dépendait. La violente impulsion qui, dans la version I, emporte les danseuses de droite à gauche jusqu'à pousser la dernière hors du décor, rebondit et se répercute de gauche à droite dans la version II. Ainsi, les deux panneaux de côté sont affectés d'un mouvement à la fois ascendant et latéral, tandis que le panneau central paraît soumis à une force descendante tournoyant comme jusqu'à l'infini. Les deux figures monumentales assises à la base ressemblent moins, dans la version II, à des danseuses au repos qu'à de majestueux et impassibles arbitres, placés là pour apprécier la régularité des combats, mais sans la moindre intention d'y engager eux-mêmes leurs forces.

En avril 1933, la seconde version du panneau décoratif enfin achevée, Matisse l'accompagne aux États-Unis pour juger de l'effet qu'elle produira à la fondation Barnes. Le Dr Barnes et lui-même sont comblés. L'artiste avait voulu éviter d'ajouter une peinture de plus à la collection du mécène, et il y réussit pleinement. Lorsqu'il vit le décor en place, il déclara qu'il le sentait absolument détaché de lui et qu'il prenait une signification toute différente de celle qu'il avait dans son atelier, où ce n'était qu'une toile peinte. A la fondation Barnes cela devint une chose rigide, solide comme la pierre, et qui semblait avoir été créée spontanément et liée à l'architecture. Quant au Dr Barnes, il estima que ce panneau couronnait sa collection, « comme la grande rose d'une cathédrale ».

Le panneau de la fondation Barnes est un triomphe personnel pour Matisse, mais c'est en même temps le triomphe d'une méthode de travail qu'on s'accorde à reconnaître comme essentiellement française. Depuis Descartes et son *Discours de la méthode*, les Français considèrent comme allant de soi que tout problème puisse être résolu par un esprit sain et attentif, à condition d'être réduit à ses diverses composantes. C'est ainsi que Matisse procède depuis fort longtemps et qu'il a procédé pour le problème d'échelle exceptionnelle que lui posait ce panneau de *la Danse*.

Il va également appliquer cette méthode à un problème d'échelle inverse. En 1930, il accepte la proposition que lui fait l'éditeur suisse Albert Skira d'illustrer un recueil de poèmes de Mallarmé. Il a travaillé tout l'hiver, à Nice, à la décoration Barnes ; à Paris, durant l'été, il se consacrera surtout à la commande de Skira. Une fois de plus, il lui faut dissocier les éléments du problème : la nature même des poèmes, le style calligraphique du caractère choisi pour l'impression,

Un équilibre où l'intimité le dispute à l'élégance préside à ce groupe composé par Matisse en 1938 pour décorer une cheminée située dans l'appartement new-yorkais de l'un des membres de la famille Rockefeller. Les courbes en opposition des deux jeunes femmes assises à la partie supérieure contribuent pour une large part à assurer la grâce fluide de l'ensemble. La jeune chanteuse du bas, qui semble appuyer sa partition sur la cheminée, apporte une touche de gaieté. Dans son cadre de boiserie sombre, la composition éclate de couleur. Matisse l'exécuta en trois semaines environ.

et enfin la finesse arachnéenne de la ligne que trace sur la planche le saphir de la pointe à graver.

Les poèmes raffinés de Mallarmé comptent parmi les plus célèbres de la littérature française moderne : ils proposent à Matisse un défi que celui-ci affronte sans hésiter. Les eaux-fortes *(pages 154-155)* qu'il crée pour ce recueil sont tracées, dira Matisse lui-même, « d'un trait régulier, très mince, sans hachures, ce qui laisse la feuille imprimée presque aussi blanche qu'avant l'impression. » « Le livre, dit-il encore, ne doit pas avoir besoin d'être complété par une illustration imitatrice. Le peintre et l'écrivain doivent agir ensemble, sans confusion, mais parallèlement... Je compare mes deux feuilles à deux objets choisis par un jongleur. Supposons... une boule blanche et une boule noire et, d'autre part, mes deux pages, la claire et la sombre, si différentes et pourtant face à face. Malgré les différences entre les deux objets, l'art du jongleur en fait un ensemble harmonieux aux yeux du spectateur. »

Cette harmonie si chère à Matisse est en train de déserter sa vie. L'Europe, à partir de 1935, est vouée au désastre. Tout esprit lucide ne se demande même plus s'il y aura la guerre, mais quand. Matisse est de ceux-là. Il en est doublement conscient, en tant qu'homme et en tant qu'artiste : l'une après l'autre, ses toiles sont condamnées, comme décadentes par les nazis et décrochées des murs des musées allemands. Sa vie privée elle-même n'échappe pas au bouleversement : la maladie l'éprouve, et aussi le chagrin que lui cause sa séparation d'avec sa femme — séparation consommée en 1939, mais qui ne sera jamais légalisée. La législation française aurait en effet exigé que tous les biens des époux fussent partagés par moitié, donc l'abandon par Matisse de la moitié des toiles entreposées dans son atelier — l'œuvre d'une grande partie de sa vie.

Chose étonnante, en ces circonstances, Matisse, non seulement poursuit sa voie, mais se lance dans de nouvelles expériences. En 1937, à la demande de la manufacture américaine de cristal, Steuben Glass, il dessine un décor de vase. En 1938, il s'intéresse au théâtre et crée les décors et les costumes pour *le Rouge et le Noir*, ballet de Léonide Massine, dansé sur une musique de Dimitri Chostakovitch par les Ballets russes de Monte Carlo. Par ailleurs, en décembre 1938, il exécute en moins de trois semaines une décoration de manteau de cheminée pour l'appartement new-yorkais de l'un des Rockefeller.

A cette même époque, Matisse commence, dirait-on, à déblayer le terrain, à faire table rase, dans sa vie et dans son art, en vue d'un changement décisif. En novembre 1936, il fait don au musée du Petit Palais de sa chère toile de Cézanne, des *Baigneuses* en sa possession depuis trente-sept ans. Albert Barnes, un ou deux ans auparavant, lui en avait offert quinze cent mille francs de l'époque, mais il avait toujours refusé de s'en séparer. Ce Cézanne ne lui était pas seulement précieux en tant qu'œuvre d'art, c'était sa bonne étoile, son talisman : on en trouve des réminiscences dans ses plus belles réalisations. Les figures assises du panneau de la fondation Barnes, par exemple, s'apparentent à celle des *Trois baigneuses* de Cézanne qui est assise à droite, et les quatre immenses bas-reliefs en bronze du *Dos*, exécutés par Matisse entre 1909 et 1930, montrent la progression de l'artiste vers la simplification atteinte par Cézanne dans le traitement du dos de ces mêmes baigneuses.

Si attaché soit-il à son Cézanne, Matisse doit sentir, en 1936, qu'il n'en a plus besoin; en le donnant au musée, peut-être pense-t-il que ce tableau pourra servir à d'autres comme il lui a servi. « Laissez-moi vous dire, écrit-il au directeur du musée, que ce tableau est de première importance dans l'œuvre de Cézanne, car il est la réalisation très dense et très complète d'une composition qu'il a beaucoup étudiée dans plusieurs toiles... je connais assez bien cette toile, pas entièrement je l'espère... » Mais Matisse s'est maintenant rendu maître de cette densité, de cette plénitude sculpturale qu'il poursuivait. Depuis qu'il a utilisé la technique des papiers découpés pour établir la composition du panneau de Barnes, quelque chose a changé dans sa démarche créatrice et dans ses ambitions.

Cette orientation nouvelle de son œuvre, c'est dans le *Nu rose* — commencé en mai 1935 et achevé environ six mois plus tard — et dans les vingt-deux photographies prises au cours de son exécution *(pages 134-135)*, que l'on peut le mieux la constater. Les premières esquisses au fusain montrent le modèle, une puissante et magnifique créature, dessiné de façon réaliste. Le principal problème que pose apparemment à Matisse la transposition sur la toile de l'animale beauté de ce nu est de le mettre en concordance avec l'arrière-plan. Sur quelle sorte de fond doit-il se présenter, et comment modifier ses lignes de façon qu'il s'intègre à ce fond? A l'aide de papiers découpés, l'artiste recherche les diverses solutions du problème, de même qu'un metteur en scène fait répéter aux acteurs un passage difficile selon des interprétations variées. Dans la première version, le modèle est simplement une femme nue couchée sur un divan, dans un intérieur identifiable comme une chambre; un espace nettement défini sépare le divan du mur du fond.

Graduellement, dans les versions qui suivent, Matisse diminue ce vide intercalaire, puis il bascule vers le haut la surface du divan, de sorte que celui-ci se trouve sur le même plan que le mur. Il transforme aussi le corps du modèle, dont l'anatomie finit par être complètement faussée : aucune tête n'a jamais été plantée ainsi sur un corps à la façon d'une tour; aucune articulation d'épaule, de coude et d'avant-bras n'a jamais pu donner cet effet d'arche triomphale. Partout, l'artiste ajuste et simplifie. Alors que le modèle, à l'origine, se situait à mi-distance, nettement en retrait par rapport au plan du tableau, il a été tellement avancé dans la version finale qu'il semble bien près de choir de la toile. D'ailleurs, sa pose a changé et ne garde plus trace d'indolence : la jambe gauche est repliée comme si la jeune femme se préparait à quitter le lit, tandis que l'attitude de sa tête et de son bras gauche marquent une certaine vigilance.

Vers 1938, le papier découpé n'est plus pour Matisse une simple méthode de travail; il devient une fin en soi. Au lieu de servir de préliminaire à la peinture, il commence à la remplacer. Pour le petit tableau intitulé *le Danseur* qu'il donne à Léonide Massine en mai 1938, il délaisse pinceaux et peinture à l'huile — dont il a si patiemment acquis la maîtrise — pour n'utiliser que les ciseaux. Ce n'est pas un abandon définitif : Matisse peindra encore de nombreuses et très belles toiles de chevalet, mais c'est une nouvelle possibilité. Toutefois, avant qu'il puisse l'exploiter pleinement, l'Europe occidentale se trouve bouleversée par un événement que chacun, depuis longtemps, redoute et d'une certaine façon désire presque, la guerre avec l'Allemagne hitlérienne. Face à la guerre, même les vies les plus résolument privées suspendent leur cours. Celle de Matisse ne fait pas exception.

C'est pour la luxueuse revue *Minotaure*, dédiée surtout à l'art et à la littérature surréalistes, que Matisse compose sa première couverture de magazine. La page de titre reflète l'intérêt qu'accorde le surréalisme à l'expression de l'inconscient par les images et les rapprochements insolites : Matisse a dispersé les lettres du titre à travers une graphie anthropomorphe. Sur la dernière page de couverture, en quelques lignes infaillibles, il a suggéré la tête du Minotaure *(ci-dessus)*, monstre légendaire mi-homme mi-taureau adopté comme symbole par les surréalistes.

Matisse dessinateur, décorateur

Matisse régénère son énergie créatrice en délaissant périodiquement la peinture et la sculpture pour se tourner vers d'autres modes d'expression. Et, chaque fois, ce changement de discipline se révèle être plus qu'une diversion : il engendre un art d'une qualité éminente et neuve. Au cours des années 1930, Matisse applique son habileté de dessinateur et son sens inné du décor à l'illustration, se rattachant ainsi à la lignée des artistes français modernes, d'Édouard Manet à Raoul Dufy, qui ont mis leur talent au service de la littérature. Ensuite, au cours des années 1940, il engagera ses dons multiples dans la création de vitraux, de panneaux de céramique, de sculptures et même de vêtements liturgiques destinés à une petite chapelle dominicaine de Vence.

Ses premiers travaux concertés d'illustrateur concernent une édition des poèmes de Mallarmé que doit publier l'éditeur suisse Albert Skira : ce livre sera le second d'une collection à laquelle vont participer les grands artistes contemporains, le premier étant confié à l'ami et rival de Matisse, Picasso. Pour son premier volume, Matisse exécute des eaux-fortes; plus tard, il fera des lithographies et la planche de droite est une gravure sur linoléum. Non content de fournir les illustrations de ses livres, Matisse collabore toujours à la création des couvertures : il en choisit le caractère — il tracera même un texte de sa propre main — ainsi que le papier et la reliure. D'une manière analogue, il se consacrera de façon totale à la décoration intérieure de la chapelle de Vence, projet qui absorbera d'ailleurs presque quatre années de la dernière décennie de sa vie.

En quelques lignes lumineuses sur fond noir, Matisse exprime la beauté sensuelle de la reine Pasiphaé, épouse légendaire de Minos, roi de Crète, et héroïne d'une tragédie d'Henri de Montherlant. D'un diadème cornu s'échappe un double labyrinthe de boucles, qui évoquent aussi les chaînes l'asservissant à son monstrueux destin de mère du Minotaure.

Gravure sur linoléum, frontispice de *Pasiphaé — Chant de Minos* (extrait de *Les Crétois* d'Henri de Montherlant), 1937-1944

Les livres d'un bibliophile

Matisse prétendra qu'il a été bibliophile avant même de posséder un livre, et il abordera l'illustration avec une sensibilité particulièrement accordée à celle de l'écrivain.

Les œuvres reproduites sur ces pages célèbrent le printemps de la poésie française, celle des xve et xvie siècles. Elles datent d'une époque où Matisse est vieux et malade, et où l'Europe se trouve plongée dans la guerre. La guerre faillit même annuler la réalisation du livre ci-dessous, recueil de poème de Pierre de Ronsard; l'occupation de la France ayant isolé Matisse de son éditeur suisse, le travail ne put reprendre qu'après les hostilités. On découvrit alors que les feuilles déjà imprimées avaient jauni et que la réimpression était impossible par suite de l'usure des caractères. Le livre ne put donc être publié qu'en 1948, sept ans après le début de la collaboration de Matisse.

Pour illustrer l'élégie ci-dessous, où le poète demande à un peintre de la cour de faire le portrait de sa bien-aimée sans flatterie inutile, puisqu'elle est belle, Matisse a tracé ce visage plein de tendresse et de réserve. Le recueil de vers de Charles d'Orléans, vaillant capitaine, frère du roi Charles VI et maître de la poésie courtoise française du xve siècle *(à droite)*, s'orne d'une page de titre manuscrite, face au fier et noble profil du prince, tandis que les poèmes se rehaussent d'encadrements ondés, d'emblèmes héraldiques et de fleurs de lis royales.

Les pages suivantes reproduisent deux des illustrations de Matisse pour le premier livre dont il ait reçu commande. Tracés d'une ligne sûre les portraits de Charles Baudelaire et d'Edgar Allan Poe, accompagnés de petites vignettes symboliques, font face aux poèmes subtils que Mallarmé consacre à ses auteurs préférés.

ÉLÉGIE A JANET
Peintre du Roy

PEIN moy, Janet, pein moy je te supplie,
Sur ce tableau les beautez de m'amie
De la façon que je te les diray.
Comme importun je ne te suppliray
D'un art menteur quelque faveur luy faire.
Il suffit bien si tu la sçais portraire
Ainsi qu'elle est, sans vouloir desguiser
Son naturel pour la favoriser :
Car la faveur n'est bonne que pour celles
Qui se font peindre, et qui ne sont pas belles.

30

« Élégie à Janet » et lithographie du *Florilège des amours de Ronsard*, 1941-1948

Frontispice et page de titre des *Poèmes de Charles d'Orléans*, **1943-1950**

Lithographie des *Poèmes de Charles d'Orléans*, **1943-1950**

« Le tombeau de Charles Baudelaire », extrait des *Poésies de Stéphane Mallarmé*, 1932

154

« Le tombeau d'Edgar Poe », extrait des *Poésies de Stéphane Mallarmé, 1932*

155

Matisse travaillant à la maquette de la chapelle.

La chapelle du Rosaire

En 1947, une religieuse dominicaine,
qui avait été l'infirmière de Matisse quelques
années auparavant, lui demande un jour
timidement son avis sur un projet de
vitrail qu'elle a dessiné en vue de la
chapelle que son ordre doit construire
à Vence, petite ville où Matisse habita
vers la fin de sa vie. L'artiste propose
d'abord quelques changements, puis
s'enthousiasme bientôt pour l'ensemble
du projet, depuis les plans d'architecture
jusqu'aux vêtements liturgiques, en passant
par les matériaux de construction, la
décoration et l'agencement mobilier. Offrant
de travailler sans rétribution et de soumettre
son œuvre à l'approbation des autorités
ecclésiastiques, il se plonge dans cette
nouvelle entreprise. Pour la mise au point
de l'édifice, il se sert de modèles réduits
patiemment ajustés *(ci-dessus)*, et, pour
les vitraux, de sa technique des papiers
découpés inaugurée à l'occasion de *la Danse*
de Barnes *(pages 130-131)*. Ainsi naît un plan
où règne un parfait équilibre entre les formes
et l'espace. Il s'agit, pour Matisse, de créer une
sorte de poème graphique, comme l'ont fait ses
poètes préférés, en coulant une pensée complexe
dans une forme rigoureuse. Les exigences
impliquées par la construction d'une chapelle
semblant le stimuler, il trouve en lui les forces
physiques nécessaires à l'accomplissement
d'une tâche à si grande échelle.

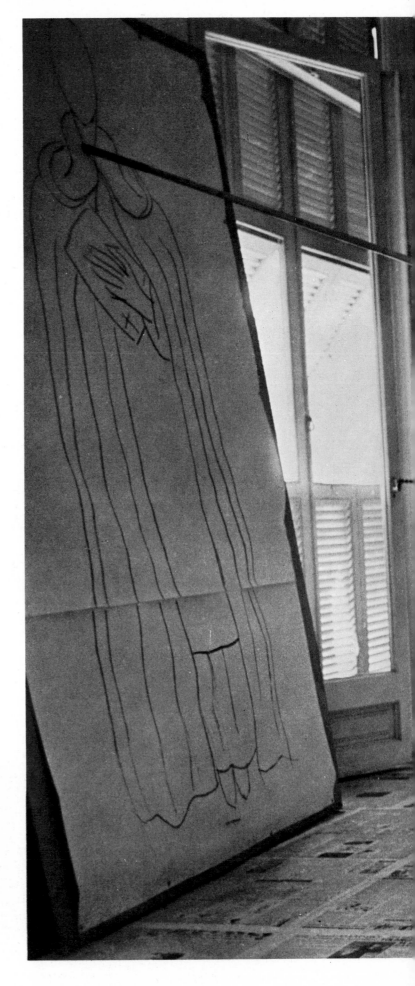

Utilisant un bambou terminé par un fusain, Matisse dessine en demi-grandeur réelle saint Dominique.
Derrière lui, ses dessins pour le chemin de croix.

Blanche et carrée, la chapelle de Matisse s'insère dans le site ensoleillé de Vence aussi aisément qu'un vénérable édifice méditerranéen. Depuis la configuration du terrain et le parterre de plantes basses, jusqu'au motif de la Vierge à l'Enfant répondant aux fenêtres jumelles du sanctuaire, et au clocheton de fer forgé, Matisse a tout conçu, sculpté, dessiné et contrôlé dans les moindres détails. Mais c'est dans le décor intérieur qu'il est parvenu à réaliser son but : « Tenir en équilibre expressif deux forces, la couleur

du vitrail du côté droit et le blanc et noir
sur tout le côté gauche », de façon que
chacun de ces éléments mette l'autre en valeur.
Matisse a tracé les lignes noires du décor
sur des carreaux de céramique, qui furent
vitrifiés et montés sur le mur. Leur surface
brillante semble s'animer sous la lumière
multicolore et changeante entrant à flots
par les vitraux. En pénétrant dans la chapelle
(ci-dessous), le fidèle se trouve face aux
vitraux bleu, vert et or situés derrière l'autel,
et à l'image sereine et majestueuse de

saint Dominique, fondateur de l'ordre.
A sa droite, sur un long mur de céramique,
entourée de fleurs semblables à des nuages,
la Vierge tient l'Enfant, dont les bras étendus
préfigurent la Crucifixion. Près de la porte
d'entrée, un autre panneau de céramique
retrace les 14 stations du chemin
de croix *(ci-dessous)*, que Matisse a condensées
dans une seule et dramatique composition.
La face du Christ imprimée sur le voile
de Véronique est ici, volontairement, l'unique
élément qui soit personnalisé.

L'autel de la chapelle de Vence est dominé par un mince crucifix de bronze *(ci-dessus)*, flanqué de six hauts chandeliers. Le Christ de Matisse est d'une stylisation si éthérée que seule, la retombée des bras et de la tête trahit son agonie et sa mort.

Lorsque le visiteur est devant l'autel *(photographie de droite)*, il voit à sa gauche les stalles de bois que Matisse a disposées dans un renfoncement pour les dévotions des religieuses. Le simple autel de pierre est orienté de façon que l'officiant soit face aux religieuses comme aux fidèles, lesquels se tiennent debout ou à genoux sur les dalles du marbre de la nef, où il n'y a ni bancs ni sièges. Derrière les stalles, neuf étroits vitraux reprennent le thème stylisé de l'Arbre de vie, qui est celui des hautes fenêtres du mur de gauche.

L'œuvre accomplie par Matisse à Vence est d'autant plus remarquable que l'artiste n'avait jamais été pratiquant. Une joie austère en émane cependant : « Peut-être, après tout, que je crois à une seconde vie, a dit un jour Matisse... dans quelque paradis où je ferai des fresques. »

162

VIII

L'accomplissement
d'une prophétie

Lorsqu'en septembre 1939 éclate la Seconde Guerre mondiale, quatre mois séparent Matisse de son soixante-dixième anniversaire. Trop âgé pour prendre une part active à la guerre, il n'en est pas moins affecté par ce nouveau conflit avec l'Allemagne, le troisième subi par la France depuis la naissance de l'artiste. Il réside à Paris au moment où les troupes allemandes approchent de la capitale, et s'efforce de tromper son angoisse en allant tous les soirs au cinéma. La défaite de son pays lui porte un coup terrible. Quant aux années désastreuses qui suivront, il les supportera aussi stoïquement que possible.

Il diffère en cela de quelques-uns de ses anciens amis peintres. Vlaminck, par exemple, se livre à des accès d'antisémitisme qu'il croit justifiés par la débâcle de la France. Derain — désormais traditionaliste confirmé — se laisse persuader d'exposer en Allemagne et de se rendre en visite officielle à Berlin, abusé par l'espoir de contribuer ainsi à la libération des prisonniers de guerre français. Après les hostilités, ce fait de collaboration le fera honnir par la plupart de ses anciens camarades, et il finira à l'écart du monde : en 1954, renversé par une voiture sur la route, devant sa maison aux environs de Paris, il succombera à ses blessures.

Matisse, pendant l'occupation, refuse de se fourvoyer dans la collaboration avec l'Allemagne mais, à la libération, on ne pourra pas non plus l'obliger à clamer vengeance contre ceux qui ont coopéré. « Au fond, dira-t-il à l'automne de 1944 en apprenant l'arrestation de Vlaminck, je trouve qu'on n'a pas à tourmenter ceux qui ont des idées divergentes des vôtres. » On l'a, plus d'une fois, pressé de se rendre à l'étranger. Son fils Pierre, à New York, est l'une des nombreuses personnes qui l'auraient accueilli volontiers. Il a toujours refusé. « J'avais dans ma poche mon passeport visé pour le Brésil, lui écrit-il en septembre 1940... C'est quand j'ai vu les affaires si gâtées que je me suis fait rembourser mon voyage. Il me semble que j'aurais déserté. Si tout ce qui a une valeur file de France, que restera-t-il de la France ? »

Lorsque les Allemands sont entrés dans Paris en juin 1940, Matisse s'est mis en route pour Nice par une voie détournée. Juillet le trouve à Saint-Gaudens, non loin des Pyrénées. Souffrant depuis quelque temps, il est pris là d'une crise d'entérite qui l'emplit d'appréhension : « J'aurais bien pu crever comme un rat dans une souricière, écrira-t-il

Sous le regard d'un de ses modèles, Matisse, vieilli, armé d'une paire de longs ciseaux, travaille à ses papiers découpés. Condamné au lit et à la chaise roulante par une grave maladie intestinale, il n'en continue pas moins à explorer les possibilités ces découpages de formes naturelles dans des papiers de couleurs vives. Pendant les dernières années de sa vie, il élèvera ce passe-temps apparemment simpliste à la hauteur d'un style qui séduira le monde artistique tout entier.

plus tard, [car] le brave et sympathique vieux docteur ne voyait pas ce que j'avais. » En août, il est enfin de retour à Nice, mais n'a plus la force de continuer à peindre. Il s'attend au pire. En janvier 1941, en effet, il doit être transporté à la clinique du Parc, à Lyon, pour y subir une double intervention chirurgicale, pratiquée par le professeur René Leriche, l'un des plus grands praticiens d'Europe. Matisse survit à l'opération, mais de justesse. Les sœurs dominicaines qui le soignent le considèrent comme un « ressuscité ». Le mal, trop longtemps négligé, avait fait d'inquiétants progrès, et l'une des parois de l'abdomen se trouvait si gravement atteinte qu'il lui sera désormais impossible de se tenir debout plus de quelques minutes d'affilée. Une pensée le soutient au cours de ces trois mois d'épreuve, celle de son appartement de Nice et l'espoir d'y revenir un jour.

En 1938, Matisse avait abandonné son appartement de la vieille ville pour s'installer dans une suite de pièces à l'hôtel Regina, qui domine la ville des hauteurs de Cimiez. Cet hôtel avait été construit à la fin du siècle dernier, dans l'espoir que la reine Victoria viendrait y faire des séjours réguliers ; il était donc doté de tout le confort et des majestueuses proportions, caractéristiques des grands hôtels de cette époque. Dans les pièces spacieuses dont il disposait, Matisse avait recréé son petit univers. Il en parle souvent aux sœurs infirmières de la clinique de Lyon, leur décrivant tous les objets qui lui sont chers, accumulés et conservés depuis plus de cinquante ans.

Parmi ces trésors se trouvent des tableaux de Courbet, de Cézanne et de Picasso, une statuette grecque antique de l'Apollon de Delphes et un très ancien tapis d'Orient, placé sous verre et accroché au mur. Il y a aussi un pot à tabac qu'il aime beaucoup, avec l'inscription « Tabac Royal », un pichet d'étain qui figure dans nombre de ses toiles et l'une de ses toutes premières sculptures en bronze, *le Serf*. A cela s'ajoutent ses collections de laques de Coromandel, ses masques et fétiches africains, ses poteries coréennes, ses figurines de danseuses de l'époque Han, et des broderies persanes qui lui rappellent sa passion pour l'art musulman d'il y a quelque trente ans.

Matisse s'identifie de façon tout à fait extraordinaire aux objets qui l'entourent. Un simple fauteuil peut obséder son imagination pendant des semaines. Il n'oubliera jamais le fauteuil à bascule victorien de sa chambre d'hôtel de Tahiti ni le fauteuil rouge à volutes qu'il a vu une fois dans une ville d'une station balnéaire de la côte atlantique. En 1942, il écrit à Louis Aragon en lui disant sa joie

Cette vitrine contient de nombreux objets que Matisse a immortalisés dans ses tableaux. Ils ont été réunis après sa mort au Musée Matisse de Cimiez, près de Nice. Parmi les plus familiers se trouvent le pot de faïence à l'inscription « Tabac Royal » à gauche, le pichet d'étain et la grande jarre en terre décorée, sur l'étagère de droite. Juste au-dessous de cette dernière est un vase à deux grandes anses qui figure déjà dans une toile de 1903. Très attaché à ces objets, en sa possession depuis tant d'années, Matisse les transportait au cours de ses déplacements.

d'avoir acquis un fauteuil baroque vénitien « en argent teinté au vernis comme un émail », dont il avait envie depuis un an : « Quand je l'ai rencontré chez un antiquaire il y a quelques semaines, j'ai été complètement retourné. Il est splendide, j'en suis habité... »

Dans l'une de ses pièces de l'hôtel Regina, Matisse a installé deux volières, qui abriteront parfois jusqu'à 300 oiseaux. Il élève parfois aussi en liberté des pigeons blancs; l'un de ceux-ci, offert en cadeau à Picasso, deviendra le modèle d'une célèbre lithographie exécutée par l'artiste espagnol en 1949. Généralement avisé et prudent en matière d'argent (« Achetez de l'or », recommande-t-il à ses amis peintres), Matisse perd la tête quand il s'agit d'oiseaux et ne le regrette jamais. Francis Carco, qui lui rend visite en 1941, a évoqué le spectacle de ces volières : « Bengalis, cardinaux, rossignols du Japon y faisaient chatoyer les vives couleurs de leur plumage, que les longues aigrettes noires des veuves rendaient encore plus coruscantes. » Mais cette pièce ne sert que d'antichambre à un jardin d'hiver, jungle tropicale en miniature, où s'épanouissent des philodendrons de Tahiti aux feuilles énormes et une profusion de plantes et de fleurs exotiques. « Ces plantes donnent un mal terrible à entretenir, confie Matisse à Carco... Mais, en même temps que je les soigne, j'en saisis mieux le genre, le poids, la flexibilité, et cela m'aide dans mes dessins. » A propos de ce contact direct avec la nature, Matisse dira un autre jour : « Il faudrait remplacer le séjour à l'École par un long séjour gratuit au jardin zoologique. Les élèves y apprendraient dans l'observation constante les secrets de la vie embryonnaire, des frémissements; ils y acquerraient peu à peu ce *fluide* que les vrais artistes arrivent à posséder. »

Matisse, vers la fin d'avril 1941, retrouve son cher décor familier de l'hôtel Regina. Il se traîne d'une pièce à l'autre en pyjama rayé, mais il est moins que jamais prodigue de son temps. Parfois, il descend jusqu'au jardin exotique établi au-dessus du port de Saint-Jean-Cap Ferrat par son ami Tériade, éditeur de la revue d'art *Verve*, ou simplement dans le jardin de l'hôtel : « Tout est neuf, dit-il, tout est frais comme si le monde venait de naître. Une fleur, une feuille, un caillou, tout brille, tout chatoie, tout est lustré, verni... » Mais, en général, les visites le fatiguent. Il s'absorbe dans son œuvre de façon si exclusive qu'il ne prend même plus plaisir à aller voir son vieil ami Simon Bussy à Roquebrune, quand celui-ci reçoit d'autres amis. Ce sont le plus souvent des gens de lettres qui lui sont totalement étrangers, et il ne peut plus bavarder avec abandon dans un cercle de personnes qui n'entendent rien à la peinture.

Bientôt, il recommence à travailler aussi assidûment que par le passé, de neuf heures à midi tous les matins et tous les jours de la semaine, puis de deux heures à la tombée du jour. Bien que l'Europe vive alors les jours les plus sombres de son histoire, rien, dans son art, ne le laisse deviner. Picasso, à la même époque, se plaint de la pénurie croissante de ravitaillement et peint des carcasses décharnées; Braque, frappé par le délabrement de sa maison, peint des balais piteusement dégarnis; Matisse, lui, peint le paradis. D'après les toiles exécutées entre 1941 et 1943, on pourrait croire qu'il n'a d'autre préoccupation en tête que l'harmonie à établir entre une rose de Noël et une saxifrage. Dans l'univers de Matisse, il y a toujours des huîtres et des oranges en suffisance, les housses des sièges sont fraîchement repassées, les parquets fraîchement cirés, et les belles jeunes femmes ne perdent pas l'espoir de s'acheter une robe neuve.

L'ancien atelier de Matisse, dans le luxueux mais vieillot hôtel Regina à Cimiez, s'ouvre, au-delà des jardins de l'hôtel, sur l'azur méditerranéen de la baie des Anges, paysage qu'il a peint bien souvent. Même les entrelacs Modern Style de ce balcon — où il exposait au soleil les plantes de son jardin d'hiver — nous rappellent son goût de l'arabesque et de la ligne « serpentine ».

Ces toiles offrent une telle impression de trompeuse facilité que Matisse, lorsqu'il en choisit un certain nombre pour un numéro spécial de *Verve*, les accompagne, chacune, d'un diagramme permettant leur analyse chromatique — à la façon d'un grand général en retraite livrant les secrets de sa stratégie. Matisse, toutefois, n'est nullement retiré : il est plutôt « arrivé » — bien que cette expression le fasse frémir. Pour lui, être arrivé, c'est être prisonnier et, écrit-il dans *Jazz*, « un artiste ne doit jamais être prisonnier, prisonnier de lui-même, prisonnier d'une manière, prisonnier d'une réputation, prisonnier du succès. Les Goncourt n'ont-ils pas écrit que les artistes japonais de la grande époque changeaient de nom plusieurs fois dans leur vie ? J'aime ça. Ils voulaient sauvegarder leurs libertés. »

Parmi les manifestations les plus inattendues de l'art de Matisse se place ce tapis, « Mimosa », de 0,90 × 1,50 m, que l'artiste dessina pour la manufacture américaine de tapis Alexander Smith. Depuis longtemps, la manière dont la lumière joue sur le velouté des tapis le fascinait — il avait placé sous verre et accroché au mur plusieurs tapis anciens d'Orient — et il exécuta cette commande avec plaisir. Le motif central, inspiré des panaches de fleurs dorées qui couvrent les mimosas de la Côte d'Azur au début du printemps, est entouré de motifs bleus, gris et noirs, sur un fond de rectangles traités en divers tons de rouge. Ces tapis ne furent fabriqués qu'en nombre limité, et la plupart sont — on le comprend — utilisés en décor mural et non en carpettes.

Matisse n'a jamais changé de nom, mais il aura changé à plusieurs reprises sa manière de peindre, mettant ainsi en jeu sa réputation. En 1943, un nouvel avatar s'annonce. « Tout se passe, confie l'artiste à Louis Aragon, comme si j'étais quelqu'un qui se prépare à aborder la grande composition... Comme si j'avais toute la vie devant moi, enfin, toute une autre vie... » Matisse va bientôt avoir soixante-quatre ans, il ne peut se tenir debout devant un chevalet, et il projette de travailler à l'échelle des œuvres du Tintoret. Cela semble insensé. Pourtant, Matisse croit en l'inéluctabilité de l'histoire : si l'idée lui est venue d'entreprendre une grande composition, un moyen se présentera sûrement pour réaliser cette idée. « Ce n'est pas un travail que j'ai choisi, dira-t-il plus tard, mais bien un travail pour lequel j'ai été choisi par le destin sur la fin de ma route. » Il lui fallait répondre, d'une façon ou d'une autre, à cet appel. Le destin, cependant, intervient alors dans sa vie différemment. En mars 1943, Cimiez est bombardé par les alliés. Ce raid est relativement peu important, mais on pressent qu'il sera suivi de beaucoup d'autres. Il est conseillé à Matisse de s'éloigner. Il s'installe alors dans une petite villa appelée « le Rêve », aux abords de Vence, dans les collines qui dominent Nice. Il y demeurera six ans.

Cette villa est trop exiguë pour se prêter à de vastes projets et, de toute façon, la vie du peintre est bouleversée par les répercussions de la guerre. Au printemps de 1944, il apprend que Mme Matisse et sa fille Mme Duthuit viennent d'être arrêtées séparément et dans des endroits différents. Toutes deux, agents de la Résistance, avaient été dénoncées pour leurs activités clandestines. Marguerite Duthuit, en particulier, sera très éprouvée. Torturée par la Gestapo, elle sera dirigée sur l'Allemagne dans un de ces trains de prisonniers à destination de Ravensbrück. Heureusement, un bombardement de l'aviation alliée empêche le convoi de poursuivre sa route, et la jeune femme parvient à regagner Paris. Quant à Mme Matisse, elle a été condamnée à six mois de prison à Troyes : « J'ai l'espoir que les trois mois de prévention lui seront comptés dans sa peine », écrit Matisse à son vieil ami Charles Camoin.

A la même époque, il se tourmente pour son fils Jean, qui habite à Vanves, près de Paris, et qui le laisse sans nouvelles : « Mon Jean ne m'étonne pas, écrit encore Matisse, car j'étais comme lui étant jeune... J'aimais beaucoup mes parents, mais j'étais très négligent au sujet des lettres... » Pourtant, il ne sait rien de lui depuis presque un mois, et ce mois est celui du débarquement des alliés en Normandie.

En août 1944, Vence elle-même connaît les effets de la guerre. Au moment où les alliés effectuent un second débarquement, sur la côte méditerranéenne, entre Marseille et Nice, trois obus égarés tombent en pleine nuit autour de la maison de Matisse. Celui-ci ne s'en émeut pas outre mesure. Il écrit à Camoin : « Le dernier a éclaté à vingt mètres devant mes fenêtres, égratignant seulement le rideau du garage et les volets.... J'ai encore sur ma table, près de mon lit, une branchette d'olivier arrachée par un éclat de cet obus, arrivé à minuit, en plein sommeil. Je suis descendu dans une confortable tranchée-abri du jardin, dans laquelle je suis resté trente-six-heures, en toute tranquillité. J'y ai passé la journée à lire Bergson, ce que j'avais toujours fait imparfaitement chez moi, attiré par les dessins ou les peintures piqués au mur autour de moi. »

A Vence, un nouveau projet vient occuper l'esprit de Matisse. Depuis son séjour à la clinique de Lyon, il a toujours désiré exprimer sa gratitude aux religieuses dominicaines, dont les soins d'un dévouement et d'une compétence exemplaires l'ont ramené à la santé. Sa première idée avait été de construire une chapelle pour la maison mère de l'ordre, à Gramond. Mais, juste en face de sa villa, à Vence, se trouve une maison dominicaine de repos pour jeunes filles malades, dont la chapelle vient d'être détruite par un incendie. Coïncidence curieuse, l'une des religieuses attachées à cet établissement est sœur Jacques-Marie, l'une de ses infirmières de Lyon. Artiste, elle aussi, dans un registre modeste, rendant un jour visite à la villa « le Rêve », elle apporte à Matisse l'un de ses croquis pour un vitrail de la future chapelle. Matisse s'y intéresse et, très vite, accepte de prendre en charge le nouvel édifice. Un moine dominicain, frère Rayssiguier, qui a fait des études d'architecte, lui sert de conseiller en matière de structure et de liturgie, et Auguste Perret, doyen des architectes français modernes, lui donnera aussi quelques avis. Mais, fondamentalement, la chapelle du Rosaire de Vence est l'œuvre de Matisse.

Ce vitrail, à la mémoire de Abby Aldrich Rockefeller, dans les bâtiments de l'Union Church de Pocantico Hills, New York, est la dernière œuvre achevée de Matisse. C'est à Nice, à l'aide de papiers découpés, que l'artiste travailla à la maquette de ce vitrail, combinant les blancs et les jaunes, les bleus et les verts pour évoquer l'idée de la lumière originelle. Comme Matisse lui-même l'a expliqué, le problème, était de s'exprimer dans un espace défini et limité, et d'harmoniser sa composition, non seulement avec la forme imposée, mais aussi avec l'atmosphère de la chapelle — qu'il ne connaissait que d'après les photographies et les dessins d'architecte qui lui avaient été envoyés.

Nombreux sont les artistes modernes qui se sont laissés tenter par des commandes de décorations monumentales pour des édifices officiels, dans l'espoir de faire participer leur art à la vie publique. Mais rares sont ceux qui y ont réussi. On ne se souviendra pas de Picasso pour ses peintures murales de l'UNESCO à Paris, ni de Bonnard et de Vuillard pour leurs décorations de la Société des Nations à Genève. Dans leur désir de bien faire, ils ont forcé leur talent et n'ont souvent produit que des versions boursouflées de leurs toiles de chevalet, nullement adaptées à la nature de leur tâche. Matisse ne commettra pas cette erreur. La chapelle de Vence est très différente du reste de son œuvre. Avec sa maîtrise sans égale de la somptuosité dans la couleur et de la complexité dans la composition, il aurait pu facilement s'accommoder d'un espace aux dimensions d'un aéroport, et le faire vibrer comme une aciérie en temps de guerre. Tout au contraire, il a voulu la chapelle de Vence si modeste que certains visiteurs sont déçus. De grandes surfaces ont été laissées blanches et sans ornement, tandis que la lumière filtrée par les hautes et étroites fenêtres est, la plus grande partie du jour, pâle et diffuse.

Pour cette chapelle, Matisse a, comme d'habitude, exécuté un grand nombre d'études préliminaires, caractérisées par une invariable progression du complexe au simple et du particulier au général, du mouvement au repos et de la pluralité à la rarification. Commencé par la vision extatique d'une Jérusalem céleste, le projet des fenêtres s'arrêtera à une sereine interprétation de l'Arbre de vie; le chemin de croix, conçu à l'origine avec un luxe de détails quant aux costumes et

Outre les vitraux et les décorations murales qu'il créa pour la chapelle du Rosaire à Vence, Matisse dessina une vingtaine de chasubles — ces amples manteaux que l'officiant revêt pour célébrer la messe. Là encore, il se servit de papiers découpés (ci-dessus, au mur de son atelier, et ci-dessous), s'inspirant de motifs religieux traditionnels — croix, étoiles, palmes — et aussi de formes naturelles. Quand Picasso les vit, il fut si frappé par l'éclat de leurs couleurs qu'il suggéra à Matisse de dessiner des capes de toréros.

à l'action, se réduira finalement à une composition en noir et blanc évoquant les croquis hâtifs qu'aurait pris un témoin de la passion du Christ; le pavement, que Matisse voulut d'abord orner de rosettes dessinées en rouge, se composera en définitive de dalles de marbre blanc aux angles desquelles s'insèrent de petits carreaux noirs; enfin, des dix-neuf fenêtres prévues sur les premières maquettes, quatre seront supprimées. Partout l'artiste exerce sa volonté de dématérialiser.

A première vue, la chapelle du Rosaire semble ruisseler de couleur, mais les seules sources de couleur sont, en fait, les vitraux. Maître dans l'agencement des surfaces colorées, Matisse a inondé cet espace intérieur de spectres de couleurs, de fantômes de jaunes, de verts et de bleus sans cesse en mouvement. Le verre lui-même paraît d'une essence immatérielle. L'édifice est, pourrait-on dire, à l'extrême limite de l'existence tangible; il ne représente pas l'expression d'un grand artiste engagé dans le jeu de la création, mais celle d'un grand homme déjà à mi-chemin du paradis.

Un demi-siècle auparavant, Matisse, dans les « Notes d'un peintre » avait parlé d'un art « d'équilibre, de pureté, de sérénité » : cette chapelle en est le plus parfait exemple. Elle témoigne également d'une humilité non feinte. L'artiste n'a pas voulu en faire seulement une œuvre d'art, il a voulu qu'elle soit un lieu de recueillement. Certains en concluent qu'il a abandonné sa propre philosophie de la vie pour retourner dans le sein de l'Église — et cela ne plaît pas à tout le monde. Après avoir examiné le modèle de la chapelle, son ami communiste Louis Aragon dit à Matisse : « Très joli, très gai! Quand nous serons au pouvoir, nous transformerons cela en salle de danse! » Mais l'éminent écrivain catholique Henri Daniel-Rops exprime au contraire sa certitude que la chapelle est un acte de foi : « Un chrétien ne ressent là nul obstacle à laisser monter son âme vers Dieu. » Matisse lui-même a mis les choses au point en déclarant : « Cette chapelle est pour moi l'aboutissement de toute une vie de travail et la floraison d'un effort énorme, sincère et difficile... le résultat d'une vie intensément consacrée à la recherche de la vérité. »

L'une des choses qui ravissent le plus Matisse dans cette chapelle est la couleur — la manière dont elle joue et change selon le temps, vivant de sa vie propre. Selon lui, c'est l'hiver, à onze heures du matin, que la lumière est la plus belle à travers ces verrières « dont la mission, dit-il, est de faire rayonner tout le prisme céleste. » Rien de comparable ne peut se réaliser en peinture, mais n'existe-t-il pas un moyen terme permettant à la couleur de prendre son envol, comme un pigeon s'échappe de la main? Ce moyen existe en vérité, et Matisse l'a sous les yeux depuis un certain temps. En 1941, il a composé, à l'aide de papiers de couleur fixés sur une toile, une nature morte montrant des fruits et des objets familiers posés sur une table. Il avait dessiné sur ces papiers, les avait peints, et deux ficelles tendues de haut en bas de la toile indiquaient la table. En très peu de temps et avec presque rien s'était ainsi créée une image à laquelle, normalement, il aurait dû travailler un mois ou plus. Ses ciseaux s'étaient chargés du dessin, la couleur gardait sa liberté, et la composition s'équilibrait aussi fermement que s'il l'avait longuement élaborée au pinceau.

Matisse ne se consacrera pas exclusivement à cette nouvelle technique avant d'avoir regagné l'hôtel Regina à Cimiez, à la fin de la guerre. Mais il l'utilise, dans l'intervalle, pour le plus déterminant de ses livres illustrés, *Jazz*. Exceptionnellement, Matisse en a aussi écrit le texte, qui reproduit son écriture manuscrite, mais lui-même précise que le rôle de ces pages est « purement spectaculaire »; elles ne servent que d'accompagnement à ses couleurs, « comme des asters aident dans la composition d'un bouquet de fleurs d'une plus grande importance », ou encore de « fond sonore » à ses « improvisations chromatiques et rythmées. » Il s'explique également sur les illustrations : « Ces images aux timbres vifs et violents sont venues de cristallisations de souvenirs du cirque, de contes populaires ou de voyages. » « Le Cow-boy » par exemple *(page 174)*, est une improvisation sur le thème du mouvement violent, où l'homme et le cheval se trouvent liés par le lancé impérieux du lasso; « Icare » improvise sur le thème du désastre, symbolisé par la chute de l'infortuné homme-oiseau dans un ciel nocturne étoilé de jaune; « le Lagon » contient la première allusion faite par l'artiste depuis vingt ans à la vie sous-marine qu'il a pu observer à Tahiti.

Ce titre de *Jazz* donné à son livre, Matisse l'a choisi parce qu'il convient au caractère discordant et syncopé des images et aussi à son mode d'expression particulier : il a jeté ses idées sur le papier comme elles lui venaient à l'esprit, avec leur rapidité de vif-argent et leur tour elliptique, tout en inventant, sous l'inspiration du moment, des rapports mutuels entre des formes que créaient sous ses doigts le papier et les ciseaux. Les illustrations qu'il envoie à l'imprimeur sont découpées dans de grandes feuilles de papier coloriées d'avance à la gouache en des gammes si intenses que son médecin lui conseille de porter des verres fumés dans son atelier. Aucune des formes n'a été dessinée : tout est né du jeu des ciseaux.

Pour Matisse, *Jazz* est une libération. « Découper à vif dans la couleur me rappelle la taille directe des sculpteurs », écrit-il. Ces images, d'une alacrité aiguë, enchantent par leur raccourcis d'épigrammes optiques; Matisse y donne libre cours à sa veine satirique, à son invention imprévisible. *Jazz* lui permet aussi d'imaginer sans terreur le jour où il ne lui sera plus possible de travailler au chevalet; une solution de rechange s'offre à lui, même pour entreprendre la « grande composition » dont il a parlé à Aragon.

Le 31 décembre 1949, Matisse atteint ses quatre-vingts ans. C'est l'occasion, pour ses contemporains, de lui rendre de nombreux hommages. Ces hommages, toutefois, s'adressent souvent à l'artiste de naguère et prennent la forme d'un adieu. Matisse est surtout connu pour ses toiles de Nice — ces odalisques indolentes sous les hauts plafonds de chambres méditerranéennes — et l'on voit en lui, tout à fait à tort, le Boucher ou le Fragonard de la bourgeoisie égoïste et frivole qui a consommé le malheur du pays et s'est effondrée pour toujours en 1939. En outre, on le sait très malade, incapable de s'asseoir à son chevalet, et il paraît peu vraisemblable qu'il puisse désormais créer une œuvre d'une quelconque importance.

Ceux qui viennent le voir à l'hôtel Regina le trouvent en effet adossé dans son lit; il ne peut même plus aller dans son fauteuil roulant jusqu'à la jungle miniature dont il était si fier. Mais il n'est pas inactif. Les murs, du sol au plafond, sont couverts de formes découpées dans des papiers de couleur. Certains ont été fixés sur une toile, d'autres épinglés au mur; il en est qui pendent et traînent jusqu'à terre. « Maintenant que je ne me lève plus souvent, dit-il, je me suis fait faire un petit jardin pour m'y promener. Tout y est : les fruits, les fleurs, les feuilles, un ou deux oiseaux. » Au-dessus de sa tête, au plafond, il a dessiné au fusain, plus grandes que nature, des têtes de femmes : « Elles me tiennent compagnie », dit-il, et il explique qu'on a attaché un fusain au bout d'une canne à pêche, de sorte qu'il a pu travailler sans difficulté.

Ces solutions de rechange à la peinture de chevalet, Matisse les connaît depuis des années — depuis ses esquisses préparatoires au décor de la fondation Barnes. A quatre-vingts ans, il comprend tout à coup qu'elles peuvent l'aider à surmonter victorieusement le handicap de son état de santé. Cloué au lit, privé de l'usage des pinceaux et de la peinture dont il n'a maîtrisé la technique qu'après une vie entière d'efforts, il aurait pu se replier sur lui-même, s'apitoyer sur son propre sort ou s'installer dans une oisiveté durement gagnée. Au lieu de cela, il continue à travailler aussi assidûment que jamais et invente à son usage une technique que, dans le monde entier, de jeunes artistes devaient adopter après sa mort.

Le processus de cette méthode est assez simple : Matisse fait colorier selon ses indications de grandes feuilles de papier, puis il les découpe aux ciseaux d'une façon qui s'apparente à la fois au dessin et à la sculpture. Ayant obtenu exactement les formes désirées, il les fait mettre en place par une assistante. Une fois toutes les pièces disposées à son gré, il les fait fixer sur la toile. De ces compositions émane une exaltation joyeuse très particulière. Certaines d'entre elles offrent des analogies avec ses œuvres antérieures, d'autres non. Elles mènent, par exemple, à un point de perfection le mouvement coulé et sans effort apparent du corps humain en action, ce mouvement qu'il cherche à traduire depuis le panneau de *la Danse* exécuté pour Chtchoukine en 1909. Aucune représentation de corps en mouvement ne fut jamais plus convaincante que les silhouettes découpées des nageurs de *la Piscine*, composition panoramique de plus de 15 m de long, où les corps ont cette puissance toute en souplesse des grands félins. En suivant du regard leurs contours, on comprend ce que Matisse voulait dire quand il comparait sa nouvelle technique à « la taille directe des sculpteurs. »

C'est une expérience très remarquable que de se trouver confronté à l'une de ces grandes compositions découpées. Tout d'abord, leurs dimensions à elles seules causent un choc. Dans presque toutes ses œuvres antérieures, Matisse s'est montré surtout attentif à la sensibilité de la ligne et de la nuance ; ici, il vise à l'effet de masse. Rien de ce qu'il a fait auparavant ne ressemble à ces femmes noires aux corps étirés, à cette sirène échouée dans les plus hautes branches d'une forêt tropicale, à ce voilier fuyant sous des nuages ourlés de lavande, à ces nageurs pareils à des marsouins, que leurs battements de jambes propulsent à demi hors d'une bande d'eau transparente. Les ciseaux de Matisse découpent aussi à vif dans son imagination. Ces gigantesques compositions sont comme les énormes soupirs de bonheur qu'exhale l'artiste à la vue, enfin, de la Terre promise : la simplification complète de la peinture.

En ces papiers découpés se réalise l'idéal de la couleur pure entrevu par les impressionnistes, analysé par les pointillistes, revendiqué par les fauves, exploité par les expressionnistes allemands. Ici, la couleur pure règne sans partage, sans entraves ni compromis, concentrant à elle seule et sur elle seule toute l'attention. Pour en arriver là, Matisse a renoncé à beaucoup de choses. Comme Tamino, le héros de l'opéra de Mozart *la Flûte enchantée*, se soumettant à une épreuve symbolique, il a abandonné presque tout ce qui l'avait accompagné au long de sa vie : les conceptions traditionnelles touchant l'utilisation de la peinture et l'organisation de la toile, la préparation attentive et minutieuse de la composition, les subtilités de valeurs, les indications de profondeur et d'échelle. Il a découvert, au bout de ce chemin qui mène à « la vérité du réel », qu'il reste en soi « une énergie d'autant plus forte qu'elle est contrariée, compressée, comprimée. » Mais, pour que cette contrainte soit féconde, ajoute-t-il : « Il faut évidemment avoir tout son acquit derrière soi et avoir su garder la fraîcheur de l'instinct. »

Dans les dernières années de sa vie, Matisse reste toujours celui qui a peint *la Joie de vivre*, *la Danse* et *la Musique*, *le Nu rose* et *le Grand intérieur rouge*. Mais il ne voit pas la nécessité de se répéter. Il est comme le voyageur qui, franchissant la frontière d'un pays nouveau, laisse derrière lui ses bagages, ou comme ces peintres japonais qui changeaient de nom pour ne pas s'encombrer de leur passé. Les compositions en papier découpé sont l'œuvre d'un homme qui approche de la mort, mais elles semblent aussi les signes avant-coureurs d'un renouveau. On les considère, dans le monde entier, comme des symboles de pureté et de clarté absolues. Tout artiste qui, de nos jours, traite la couleur de façon simple et directe est, dans une certaine mesure, redevable à Matisse. A quatre-vingts ans, il demeure le peintre dont les autres peintres ont besoin. Mais, si ses dernières et éblouissantes compositions nous inclinent à penser qu'elles sont celles de ses œuvres les plus dignes d'être regardées, c'est là une erreur dont le temps se chargera de faire justice. A toutes les époques de sa vie, Matisse est un artiste dont il importe de suivre la progression, et le monde n'a pas encore pleinement mesuré tout ce qu'il a perdu lorsque, le 3 novembre 1954, le cœur d'Henri Matisse a cessé de battre.

Le photographe Henri Cartier-Bresson a surpris Matisse, alors âgé de quatre-vingt-deux ans, en train de dessiner paisiblement l'un de ses pigeons favoris. Le peintre et le photographe devinrent amis, et l'une des dernières illustrations réalisées par Matisse fut destinée à la couverture d'un album de photographies de Cartier-Bresson, intitulé *le Moment décisif*.

Un vieillard occupé à découper des papiers
de couleurs vives pourrait sembler gaspiller les
dernières années de sa vie en des passe-temps
puérils. Mais, dans les mains de Matisse, papiers
et ciseaux vont faire merveille. Ces papiers
découpés paraissent engendrer leur propre lumière
et, dans leur simplicité, ils sont si caractéristiques
de son art qu'ils en constituent la conclusion logique.
    Cette découverte se fit presque par hasard.
Au cours des années 1930, Matisse s'était servi
de modèles en papier pour faciliter la composition
de ses tableaux, modifiant leur emplacement sur
la toile pour trouver le parfait équilibre des divers
éléments. En 1941, une grave maladie intestinale
et deux difficiles opérations le laissèrent pratiquement
infirme pour le reste de ses jours. Incapable
désormais de peindre à son chevalet, adossé dans
son lit, il se met à exécuter ces papiers découpés
qui, bientôt, deviennent tout autre chose qu'un
simple substitut de la peinture. « Découper à vif
dans la couleur, dira-t-il, me rappelle la taille
directe des sculpteurs. » En effet, maniant les
ciseaux comme un ciseau de sculpteur, il va créer
des figures, des feuilles, des fleurs, des poissons
et des arabesques imaginaires. Il les place ensuite
sur des fonds blancs ou multicolores et les déplace
sur ces surfaces jusqu'à ce qu'ils s'harmonisent.
Certains forment des compositions achevées, d'autres
servent de modèles pour des panneaux de céramique,
des vitraux, des affiches ou des couvertures de
revues. Tous attestent la clarté de la vision de
l'artiste et couronnent magistralement l'œuvre d'un
maître de la composition et de la couleur.

L'art de sculpter la couleur

Ce nu féminin en papier
gouaché découpé et exécuté
en 1950 — l'artiste est alors
âgé de quatre-vingt-un an —
exprime la recherche
permanente de simplicité
poursuivie par Matisse. Cette
composition, haute de 2,35 m,
rappelle l'admiration de
Matisse pour l'art préhistorique
et primitif et ses qualités
de hardiesse et d'abstraction.

Zulma, 1950

Matisse expérimentait depuis plusieurs années la technique du papier découpé lorsque, en 1947, avec la publication de son livre *Jazz*, il démontre sa maîtrise de cette nouvelle forme d'art. *Jazz*, qui nécessita trois ans de travail, est une suite de compositions assez abstraites en papiers découpés de couleur, dont nous donnons ici deux exemples. Le texte, rédigé par Matisse, est imprimé en fac-similé de sa ferme et claire écriture; sans rapport avec les illustrations, il consiste en notes et réflexions sur l'art et sur la vie; d'un style familier, mais incisif, il a surtout pour but, dit Matisse « d'apaiser les réactions simultanées de mes improvisations chromatiques et rythmées. » Au sujet de ces dernières, il précise : « Ces images aux timbres vifs et violents sont venues de cristallisations de souvenirs du cirque, de contes populaires

ou de voyage. » Tout en travaillant, il prit conscience de l'affinité existant entre le lyrisme de ces images et les jaillissantes improvisations de la musique de jazz — d'où le titre.

Sous une apparence trompeusement simple, ces découpages cachent d'inflexibles exigences techniques : « Parfois, la difficulté venait : lignes, volumes, couleurs, et quand je les réunissais, tout s'effondrait, l'un détruisant l'autre... Il ne suffit pas de mettre les couleurs, si belles soient-elles, les unes auprès des autres; il faut encore que ces couleurs réagissent les unes sur les autres. Sinon, c'est la cacophonie... »

Les couleurs des papiers du commerce ne le satisfaisant pas, Matisse créait les siens, à la gouache, en des tons si intenses que son médecin lui conseilla de porter des verres fumés pour travailler dans son atelier.

« Le Cow-boy », extrait de *Jazz*

« Le Toboggan », extrait de *Jazz*

Nuit de Noël, 1952

Lierre en fleur, **1953**

Le papier découpé devient pour Matisse le moyen d'expression le plus simple et le plus direct. Enchanté de sa découverte, il passera ses dernières années dans un tourbillon de projets. Une telle somme d'énergie, d'ambition et de plans d'avenir semblent plus le fait d'un jeune artiste débutant que d'un maître octogénaire consacré. Les papiers découpés lui permettent de créer des tapisseries, des panneaux de céramique, des décorations murales et surtout des vitraux, qu'il affectionne particulièrement. Les deux exemples

reproduits ici lui furent commandés par Time Inc. *(à gauche)* et par Mr. et Mrs. Albert D. Lasker *(ci-dessus).*

Les papiers découpés de Matisse connaissent un succès tel qu'en 1949 le musée d'Art moderne de Paris leur consacre toute une exposition qui, accueillie avec enthousiasme, sera suivie de plusieurs autres à travers le monde. En 1953, une année avant sa mort, Matisse termine une gigantesque composition d'environ 3,50 m sur 6,50 m, *la Perruche et la Sirène (pages suivantes),* orchestration chromatique d'un lyrisme exultant.

177

La Perruche et la sirène, 1952

La chambre de Matisse dans son appartement de Nice.

Condamné à demeurer presque constamment
alité pendant les deux dernières années de
sa vie, Matisse n'en demeurera pas moins
actif jusqu'à sa fin. Dans son appartement
de Nice, vêtu d'un vieux chandail gris,
une écharpe autour du cou, le nez chaussé
de lunettes à monture d'or, il travaille.
Quand il peut se lever, il s'assied dans
un fauteuil spécial placé devant l'une de
ses dernières créations en papier découpé,
composition géante destinée soit à un
vitrail, soit à un panneau de céramique.
Il est trop faible pour se tenir debout mais,
quand il a découpé ses silhouettes ou ses
arabesques dans des papiers de couleur,
il indique à sa secrétaire, Lydia
Delektorskaya, l'emplacement de chaque
élément. Parfois, pour changer, revenant à
une discipline qu'il connaît à merveille,
il modèle une statuette en glaise *(à droite)*.
Ou bien il dessine de son lit, en se servant
d'un long bambou prolongé par un fusain.
Il peut ainsi exécuter de grandes esquisses
sur des feuilles fixées au mur, ou même
dessiner directement sur les murs et le
plafond *(ci-dessus)*. Entouré par ces visages
créés de ses mains, il dira, dans ses
derniers jours : « Je ne suis jamais seul. »

Matisse âgé modelant une statuette de glaise

Chronologie : Artistes de l'époque de Matisse

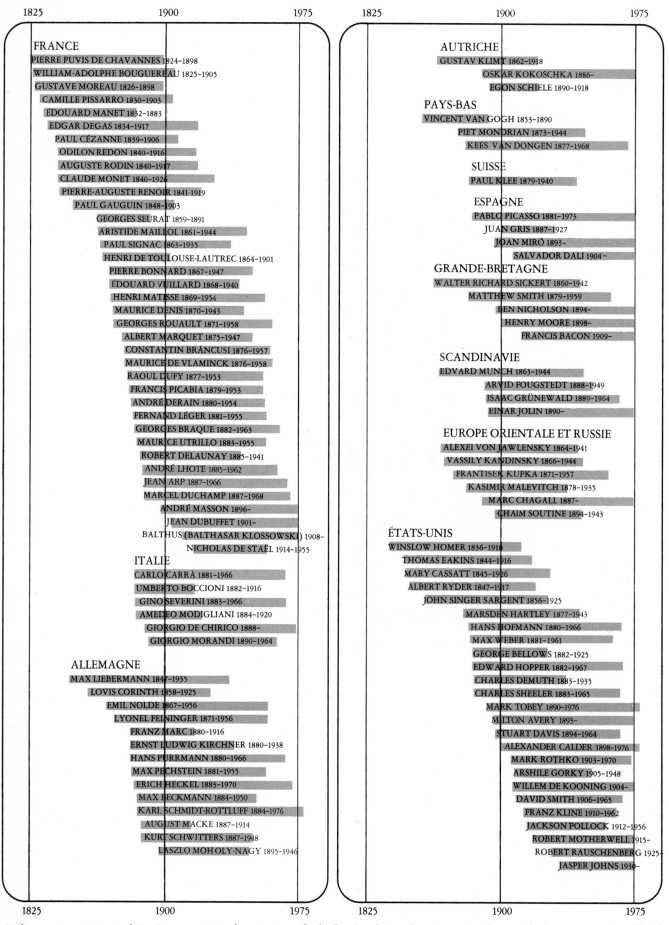

1825 · 1900 · 1975

FRANCE
PIERRE PUVIS DE CHAVANNES 1824–1898
WILLIAM-ADOLPHE BOUGUEREAU 1825–1905
GUSTAVE MOREAU 1826–1898
CAMILLE PISSARRO 1830–1903
ÉDOUARD MANET 1832–1883
EDGAR DEGAS 1834–1917
PAUL CÉZANNE 1839–1906
ODILON REDON 1840–1916
AUGUSTE RODIN 1840–1917
CLAUDE MONET 1840–1926
PIERRE-AUGUSTE RENOIR 1841–1919
PAUL GAUGUIN 1848–1903
GEORGES SEURAT 1859–1891
ARISTIDE MAILLOL 1861–1944
PAUL SIGNAC 1863–1935
HENRI DE TOULOUSE-LAUTREC 1864–1901
PIERRE BONNARD 1867–1947
ÉDOUARD VUILLARD 1868–1940
HENRI MATISSE 1869–1954
MAURICE DENIS 1870–1943
GEORGES ROUAULT 1871–1958
ALBERT MARQUET 1875–1947
CONSTANTIN BRÂNCUSI 1876–1957
MAURICE DE VLAMINCK 1876–1958
RAOUL DUFY 1877–1953
FRANCIS PICABIA 1879–1953
ANDRÉ DERAIN 1880–1954
FERNAND LÉGER 1881–1955
GEORGES BRAQUE 1882–1963
MAURICE UTRILLO 1883–1955
ROBERT DELAUNAY 1885–1941
ANDRÉ LHOTE 1885–1962
JEAN ARP 1887–1966
MARCEL DUCHAMP 1887–1968
ANDRÉ MASSON 1896–
JEAN DUBUFFET 1901–
BALTHUS (BALTHASAR KLOSSOWSKI) 1908–
NICHOLAS DE STAËL 1914–1955

ITALIE
CARLO CARRÀ 1881–1966
UMBERTO BOCCIONI 1882–1916
GINO SEVERINI 1883–1966
AMEDEO MODIGLIANI 1884–1920
GIORGIO DE CHIRICO 1888–
GIORGIO MORANDI 1890–1964

ALLEMAGNE
MAX LIEBERMANN 1847–1935
LOVIS CORINTH 1858–1925
EMIL NOLDE 1867–1956
LYONEL FEININGER 1871–1956
FRANZ MARC 1880–1916
ERNST LUDWIG KIRCHNER 1880–1938
HANS PURRMANN 1880–1966
MAX PECHSTEIN 1881–1955
ERICH HECKEL 1883–1970
MAX BECKMANN 1884–1950
KARL SCHMIDT-ROTTLUFF 1884–1976
AUGUST MACKE 1887–1914
KURT SCHWITTERS 1887–1948
LASZLO MOHOLY-NAGY 1895–1946

AUTRICHE
GUSTAV KLIMT 1862–1918
OSKAR KOKOSCHKA 1886–
EGON SCHIELE 1890–1918

PAYS-BAS
VINCENT VAN GOGH 1853–1890
PIET MONDRIAN 1873–1944
KEES VAN DONGEN 1877–1968

SUISSE
PAUL KLEE 1879–1940

ESPAGNE
PABLO PICASSO 1881–1973
JUAN GRIS 1887–1927
JOAN MIRÓ 1893–
SALVADOR DALI 1904–

GRANDE-BRETAGNE
WALTER RICHARD SICKERT 1860–1942
MATTHEW SMITH 1879–1959
BEN NICHOLSON 1894–
HENRY MOORE 1898–
FRANCIS BACON 1909–

SCANDINAVIE
EDVARD MUNCH 1863–1944
ARVID FOUGSTEDT 1888–1949
ISAAC GRÜNEWALD 1889–1964
EINAR JOLIN 1890–

EUROPE ORIENTALE ET RUSSIE
ALEXEI VON JAWLENSKY 1864–1941
VASSILY KANDINSKY 1866–1944
FRANTISEK KUPKA 1871–1957
KASIMIR MALEVITCH 1878–1935
MARC CHAGALL 1887–
CHAIM SOUTINE 1894–1943

ÉTATS-UNIS
WINSLOW HOMER 1836–1910
THOMAS EAKINS 1844–1916
MARY CASSATT 1845–1926
ALBERT RYDER 1847–1917
JOHN SINGER SARGENT 1856–1925
MARSDEN HARTLEY 1877–1943
HANS HOFMANN 1880–1966
MAX WEBER 1881–1961
GEORGE BELLOWS 1882–1925
EDWARD HOPPER 1882–1967
CHARLES DEMUTH 1883–1935
CHARLES SHEELER 1883–1965
MARK TOBEY 1890–1976
MILTON AVERY 1893–
STUART DAVIS 1894–1964
ALEXANDER CALDER 1898–1976
MARK ROTHKO 1903–1970
ARSHILE GORKY 1905–1948
WILLEM DE KOONING 1904–
DAVID SMITH 1906–1965
FRANZ KLINE 1910–1962
JACKSON POLLOCK 1912–1956
ROBERT MOTHERWELL 1915–
ROBERT RAUSCHENBERG 1925–
JASPER JOHNS 1930–

1825 · 1900 · 1975

Prédécesseurs et contemporains de Matisse sont groupés ci-dessus par pays, selon l'ordre chronologique des naissances. La longueur des bandes est proportionnelle à la durée de leur vie.

Bibliographie

MATISSE — SA VIE ET SON ŒUVRE

Aragon, Louis, *Henri Matisse*. M. Fabiani, Paris, 1943.
Cassou, Jean, *Matisse*. Imp. de Braun, Paris, 1949.
Couturier, M.A., *la Chapelle du Rosaire à Vence par Matisse*. Éd. du Cerf, Paris, 1955.
Diehl, Gaston, *Henri Matisse*. P. Tisné, Paris, 1954.
Duthuit, Georges et Pierre Reverdy, *les Dernières œuvres de Henri Matisse*. Verve, Paris, 1958.
Escholier, Raymond, *Matisse, ce vivant*. A. Fayard, Paris, 1956.
George, Waldemar, *Matisse*. Innothéra, Arcueil, 1955.
Humbert, Agnès, *Henri Matisse*. F. Hazan, Paris, 1956.
Huyghe, René et Lydie Huyghe, *Henri Matisse*. Flammarion, Paris, 1955.
Lassaigne, Jacques, *Matisse*. Skira, Genève, 1959.
Lévêque, J.J., *Matisse*. Bordas, Paris, 1968.
Selz, Jean, *Matisse*. Flammarion, Paris, 1964.
Verdet, André, *Prestiges de Matisse*. Émile-Paul, Paris, 1952.

ART — RÉFÉRENCES HISTORIQUES

Bazin, Germain, *Histoire de l'avant-garde en peinture*. Hachette, Paris, 1969.
Cogniat, Raymond, *Histoire de la peinture*. T. 2. Nathan, Paris, 1955.
Duthuit, Georges, *les Fauves*. Éd. Trois Collines, Genève, 1949.
Gieure, Maurice, *la Peinture moderne*. P.U.F., Paris, 1962.
Maus, Madeleine, *Trente années de lutte pour l'art, 1884-1914*. Imp. Monnom, Bruxelles, 1926.
Muller, J. et Frank Elgar, *la Peinture moderne*. F. Hazan, Paris, 1965. 5 volumes.
Raynal, Maurice, Rüdlinger, A., Bollinger, H., Lassaigne J., Schmalenbach, W., *Histoire de la peinture moderne*. Skira, Genève, 1949-1951.

Raynal, Maurice, *le XIXe siècle. Formes et couleurs nouvelles de Goya à Gauguin*. Skira, Genève, Paris, 1944.
Selz, Jean, *Art Nouveau*. F. Hazan, Paris, 1971.
Vallier, Dora, *Histoire de la peinture, 1870-1840*. Éd. de la Connaissance, Bruxelles, 1963.

RÉFÉRENCES CULTURELLES ET HISTORIQUES

Dorival, Bernard, *les Etapes de la peinture française contemporaine*. T. 1. Gallimard, Paris, 1943.
Dupeux, Georges, *la Société française, 1789-1960*. 3e édition revue et corrigée. Colin, Paris, 1966.
Faure-Favier, Louise, *Souvenirs sur Guillaume Apollinaire*. Grasset, Paris, 1945.
Malraux, André, *Psychologie de l'art*. Paris, 1966.
Roger Marx, Claude, *Un siècle d'art français, 1850-1950*. Les Presses artistiques, Paris, 1953.

CATALOGUES DES EXPOSITIONS

Exposition Matisse. Galerie Dina Vierny. Paris, 1970.
Exposition Matisse. Grand Palais, 1970. Catalogue de P. Schneider.
Henri Matisse, aquarelles, dessins. Jacques Dubourg. Paris, juin 1962.
Lassaignes, Jacques. Exposition Matisse. *Hommage à Matisse*. Albi, Musée Toulouse-Lautrec, 1961.
Le Jardin de Matisse. Châtillon-sous-Bagneux, 1970.
Mathey, François. *Henri Matisse, les grandes gouaches découpées*. Musée des Arts décoratifs. Paris, 1961.
Woimant, Françoise et Jean Guichard-Meili. *Exposition Matisse*. Bibliothèque Nationale, Paris, 1970.

Sources des illustrations

Les sources des illustrations de cet ouvrage sont énumérées ci-dessous. De gauche à droite, elles sont séparées par des virgules, de haut en bas, par des tirets.

Les œuvres de Henri Matisse figurant dans cet ouvrage et les peintures exécutées par Georges Rouault, Paul Signac et Maurice de Vlaminck reproduites en pages 12, 23, 41, 45, 63 et 65 sont publiées par la French Reproduction Rights, Inc. avec l'accord de la SPADEM. Les œuvres de Albert Marquet, André Derain et Vassili Kandinsky figurant en pages 23, 56, 62, 63, 64, 65 et 67 sont publiées par la French Reproduction Rights, Inc. avec l'accord de l'ADAGP.

COUVERTURE : Collection de Mr. et Mrs. Norton Simon, Los Angeles.

PAGES DE GARDE DE TETE : Collection privée, New York.

PAGES DE GARDE FINALES : J.R. Eyerman pour TIME. Collection privée, New York.

CHAPITRE 1 : 6—Musée d'art, Philadelphie. 9—Eddy van der Veen. 10—Studio Madonnes. 11—Studio Madonnes—Musée Matisse, Nice-Cimiez. 12—Pierre Boulat. 15—Pierre Boulat. 21—Lee Boltin. 22—Pierre Boulat. 23—Alain Danvers—Yves Debraine. 24, 25—Derek Bayes—Dmitri Kessel; Robert Crandall pour TIME. 26, 27—Lee Boltin.

CHAPITRE 2 : 28—Lee Boltin. 30—Studio Madonnes. 31, 32—Eddy van der Veen. 33—Studio Madonnes; © Museum of Modern Art, N.Y. 36—Photos Culver. 37—Studios Carlton Ltd. 41—Frank Lerner. 42, 43—Reproduit avec l'aimable autorisation des administrateurs de la National Gallery, Londres. 44, 45—Art Institute of Chicago—Metropolitan Museum of Art; Mr. Samuel Josefowitz, Suisse. 46, 47—Giraudon.

CHAPITRE 3 : 48—Lee Boltin. 50—© Agence de presse Novosti. 53-55 — National Gallery of Art, Washington, D.C. 65 — Musée Salomon R. Guggenheim. 59—© Museum of Modern Art, N.Y. 61—Extrait de la Collection de Mr. et Mrs. John Hay Whitney. 62—Derek Bayes; Tate Gallery, Londres. 63—Avec l'aimable autorisation des Galeries Leonard Hutton, New York; Éditions Ides et Calendres, Neuchâtel, Suisse. 64, 65—Cliché Musées Nationaux. 66—Burda Druck und Verlag, GMBH, Offenbourg — Fondation Bucheim, Feldafing. 67 — Hein de Bouter — Musée Salomon R. Guggenheim.

CHAPITRE 4 : 68 Lee Boltin. 70—Avec l'aimable autorisation de John W. Dodds. 71—Man Ray. 72—San Francisco Museum of Art, collection permanente. 73—Avec l'aimable autorisation de John W. Dodds; Robert Isaacs. 74—Baltimore Museum of Art. 76—Extrait de *Matisse : His Art and his Public*, d'Alfred H. Barr Jr., publié par le Museum of Modern Art, New York, 1951 — Hessisches

Landesmuseum, Darmstadt. 78—Extrait de *Matisse : His Art and his Public*, d'Alfred H. Barr Jr., publié par le Museum of Modern Art, New York, 1951. 81—Derek Bayes. 82—J.R. Eyerman pour TIME. 83—Lee Boltin. 84—San Francisco Museum of Art; Baltimore Museum of Art (2)—Lee Boltin. 85—Lee Boltin. 86—En bas : © Agence de presse Novosti. 87, 88, 89—Dmitri Kessel. 90, 91—The Art Institute of Chicago; © Museum of Modern Art, N.Y.

CHAPITRE 5 : 92—Musée Royal des Beaux-Arts, Copenhague. 94—Avec l'aimable autorisation de Pierre Matisse. 97—Avec l'aimable autorisation de la bibliothèque de l'université Yale. 100—© Museum of Modern Art, N.Y. 105—Studio Madonnes. 107—Université de Californie, Los Angeles, collection Norton Simon. 108—Brian Heseltine. 109, 110, 111—Lee Boltin. 112, 113—J.R. Eyerman pour TIME. 114, 115—Collection de Mr. et Mrs. Norton Simon, Los Angeles.

CHAPITRE 6 : 116—A.J. Wyatt. 119—Lee Boltin. 120—Collection Kees van Dongen. 122— © Museum of Modern Art, N.Y. 123—Avec l'aimable autorisation de Sotheby & Co. 124—Hélène Adant. 125—Studio Madonnes. 128—© Museum of Modern Art, N.Y. 130, 131—© 1969 par la Fondation Barnes, Merion, Pennsylvanie. 132—Derek Bayes. 133—Jacques Mer (Rapho-Guillumette) (2)—Derek Bayes. 134, 135—Baltimore Museum of Art—en bas à droite, Lee Boltin. 136 à 139—Lee Boltin.

CHAPITRE 7 : 140—Lee Boltin. 142—Extrait de : *Cahiers d'Art*, « Dessins de Henri Matisse » 1936. 144— © Museum of Modern Art, N.Y. 146—Avec l'aimable autorisation de Steuben Glass, New York. 147—Collection privée, New York. 149—Extrait de : « *Minotaure* » no. 9 Deuxième Série, octobre, 1936 Éditeur Albert Skira. © par *Minotaure* 1936. 151, 152, 153—© Museum of Modern Art, N.Y. 154, 155—Photo de l'Art Institute of Chicago. 156, 157—Robert Capa (Magnum). 158—Ken Kay—*Paris-Match* de Pictorial Parade. 158—Hélène Adant. 160, 161—*Paris-Match* de Pictorial Parade; Hélène Adant.

CHAPITRE 8 : 162—Photo Hélène Adant, extrait de *Matisse*, par Giuseppe Marchiori, publié par Amilcare Pizzi, Italie et Reynal & Company, New York. Dist. par Wm. Morrow, N.Y. 164—Gilbert Casties. 165—Hélène Adant. 166—Ron d'Asaro. 167—Charles Uht. 168—Hélène Adant. 171—Henri Cartier-Bresson (Magnum). 173—Extrait de : Verve No. 35-36 *les Dernières Œuvres de Matisse*. 174, 175—© Museum of Modern Art, N.Y. 176 à 180—Extrait de : Verve No. 35-36 *les Dernières Œuvres de Matisse*. 181, 182, 183—Dmitri Kessel.

Remerciements

Les auteurs et rédacteurs du présent ouvrage tiennent à remercier : M. et Mme Pierre Matisse, New York, M. et Mme Georges Duthuit, Paris; Colette Audibert, conservateur, Musée Matisse, Nice-Cimiez; Mr. et Mrs. Alfred H. Barr Jr., New York; Quentin Bell, université du Sussex; Mrs. Sidney F. Brody, présidente des expositions, UCLA Art Council; Adeline Cacan, conservateur, Musée du Petit Palais, Paris; Alice Derain, Chambourcy; Joan Diamant et Bruni Mayor, Galerie Pierre Matisse, New York; le directeur, Arts Council, Galerie Hayward, Londres; John W. Dodds, Stanford; Denise Fédit, chargée de mission, Musée National d'Art moderne, Paris; Monroe W. Gill, New York; Lawrence Gowing, Londres; Mrs. Walter A. Haas, San Francisco; Mrs. St. John Hutchinson, Londres; Antonina Iserguina, Musée de l'Ermitage, Leningrad; Samuel Josefowitz, Lausanne; M. et Mme Xavier Lasbordes; Mrs. Albert D. Lasker, New York; Fulvio Nembrini, Arts graphiques Amilcare Pizzi, Milan; Perry T. Rathbone, directeur, Musée des Beaux-Arts, Boston; Ginette Signac, Paris; personnel du Cabinet des estampes, bibliothèque et division des droits et reproductions, Museum of Modern Art, New York; Berthe Vlaminck; les détenteurs des papiers découpés figurant en pages 173, 176, 177, 178-180 : le Musée royal des Beaux-Arts, Copenhague; le Museum of Modern Art, New York; le Musée des Beaux-Arts, Dallas, et le Stedelijk Museum, Amsterdam.

Index

Sauf indication contraire, toutes les œuvres d'art énumérées sont de Matisse. Les dimensions sont exprimées en centimètres, la hauteur précédant la largeur.

189

Index (suite)

XXXXX

Printed in Italy by Officine Grafiche Arnoldo Mondadori - Verona